음악의 신

이창연 장편소설

초판 1쇄 찍은 날 | 2018년 7월 24일
초판 1쇄 펴낸 날 | 2018년 7월 31일

지은이 | 이창연
펴낸이 | 예경원

기획 | 위시북스
편집책임 | 이규재
편집 | 이즈플러스

펴낸곳 | 예원북스
등록번호 | 제396-2012-000132호
등록일자 | 2012. 7. 25
KFN | 제1-285호

주소 | 경기도 고양시 일산동구 호수로 646-24 위너스21 II 빌딩 206A호 (우)10401
전화 | 031-819-9431 팩스 | 031-817-9432
E-mail | yewonbooks@naver.com

©이창연, 2016

ISBN 979-11-89348-36-6 04810
979-11-5845-408-1 (set)

※ 파본은 구입하신 서점에서 교환하여 드립니다.
※ 저자와 협의하여 인지를 붙이지 않습니다.
※ 이 책은 예원북스와 저작자의 계약에 의해 출판된 것이므로 무단 전재 및 유포, 공유를 금합니다.
※ 이 도서의 국립중앙도서관 출판시도서목록(CIP)은 서지정보유통지원시스템 홈페이지(http://seoji.nl.go.kr)와 국가자료공동목록시스템(http://www.nl.go.kr/kolisnet)에서 이용하실 수 있습니다.

음악의 신

이창연 장편소설

WISHBOOKS MODERN FANTASY STORY

완결

CONTENTS

음악의 신

1화

때로는 수단, 방법은 중요하지 않다(2)

[적자도 아니고 흑자를 기록 중인 회사에서 인력 감축은 어불성설입니다. 사기 저하나 효율 감소만을 가져올 겁니다.]

눈매가 날카로운 투자자는 잔을 거칠게 넘기곤 강윤을 쏘아보았다.

[이츠파인의 효율성을 위해 드리는 말씀이었습니다만…… 사기 저하라니, 감상적이란 느낌이 드는군요. 아, 동사장님은 연예인들과 주로 일을 해오셨지요. 이해합니다.]

도발이었다. 강윤은 몸을 등받이에 기대며 팔짱을 끼었다.

[제가 아니라 누구라도 똑같이 말했을 겁니다.]

[이츠파인을 이대로 운영하면 언제라도 적자로 돌아설 수 있습니다.]

통통한 투자자가 첨언을 넣자 강윤은 씨익 웃었다.

[그렇다면 이츠파인에 투자한 이유가 무엇인지요? 묻고 싶군요.]

갑작스러운 공격에 투자자들은 잠시 멈칫했다. 자충수를 던진 셈이었다.

디저트가 나올 때까지 양측의 이야기는 계속 평행선을 달렸다.

투자자들에게 술을 따라 주며 강윤이 말했다.

[이츠파인에 효율이 필요하다는 의견은 새겨듣겠습니다. 외부에서 본 시선이 정확할 수 있겠죠. 하지만 인원 감축이나 배분 비율을 바꾸는 것은 회사의 정체성과 관계된 문제입니다.]

[다시는 기회가 오지 않을지 모릅니다.]

[시기는 스스로 만드는 겁니다. 노래를 만드는 사람과 소비하는 사람들의 마음을 움직이면 따라온다고 생각합니다.]

입장 차이만 확인한 채 자리가 파했다. 한복을 입은 직원들의 정중한 배웅을 받으며 모두 밖으로 나섰다.

차 앞에서 강윤은 투자자들과 손을 맞잡았다.

[안녕히 가십시오.]

투자자들도 웃으며 강윤을 배웅했다.

[의견 잘 들었습니다. 종종 뵐 텐데, 앞으로 잘 부탁드립니다.]

서로 악수를 나눈 후, 강윤이 막 떠나려는데 하세연 사장이 다가왔다. 강윤은 씁쓸히 웃었다.

"일이 이렇게 돼서 유감입니다."

"……회장님껜 입이 열 개라도 할 말이 없네요."

"그럼."

강윤이 탄 차가 떠났다. 하세연 사장이 멍하니 그곳을 바라보고 있을 때 뒤에서 대화하는 소리가 들려왔다.

[역시, 월드와는…… 노하우만 빨리 빼서 가는 게 답일 듯싶습니다.]

[내 생각도.]

조용히 듣고 있던 전형택 상무의 눈이 흔들렸다.

투자자들이 돌아간 후, 그는 하세연 사장에게 방금 들은 이야기를 해주었다.

"……하아."

오늘따라 마음도 하늘도 먹구름이 잔뜩 끼어 있었다.

♪ ♫ ♩ ♪

늦겨울, 영산강의 바람은 매서웠다. 곳곳에 녹지 않은 하얀 눈까지 얼어 있었다.

찬 바람을 뚫고 10대가 넘는 자전거가 강 유역을 지나치고 있었다.

"거의 다 왔어!!"

선두에는 월드의 이사, 이현지가 있었다. 눈을 제외한 얼굴을 꽁꽁 싸매곤 페달을 힘차게 밟아 나갔다.

"다 오긴 개뿔……."

그녀 뒤로 따라오는 연습생들은 온몸을 비틀어 댔다. 입가에선 계속 김이 새어 나왔고 눈가는 퉁퉁 불어 있었다.

"으아아아아아---!!"

이현지 바로 뒤에 있던 정유리는 괴성을 내지르며 페달을 밟았다. 눈빛은 한층 표독스러워졌다. 그녀 뒤로 양채영과 신 루리, 이시이 아키나가 비실대며 따라붙었다. 일행의 맨 뒤에는 진혜리 팀장이 있었다.

"이강윤 개ㅅ……."

"다영, 안 된다."

페달을 끙끙대며 밟던 윤다영을 보며 이시하라 유이가 정면을 향해 손가락질했다. 윤다영은 손가락이 향하는 이현지를 힐끔 보고는 고래고래 소리쳤다.

"이래 죽으나 저래 죽으나지!! 이시는, 괜찮아?"

"힘들다. 근데 다영 말이 맞다. 회장님 나빴다. 문희 언니 거짓말했다. 회장님 좋다 했는데, 나빴다."

애기 같은 목소리와 어색한 한국말의 매치는 웃음꽃이 피게 했다.

뒤에서 페달을 밟던 감효민과 이시하라 유이, 신 차오 역시 입은 쉬지 않았다.

"이강윤, 니취팔러마~~!!"

"니치파러마!!!"

"배고파?"

다른 멤버들도 마찬가지였다. 어느새 강윤은 공공의 적이 되어 모두를 하나로 뭉치게 하고 있었다.

앞서가던 이현지는 커다란 중국집 간판을 발견하곤 외쳤다.

"짜장면집이다. 잠깐 쉬었다 갈까?"

"네에에에에!!!"

언제 그랬냐는 듯 비실대던 연습생들은 힘차게 외치곤 이현지를 앞서가 버렸다.

"먹을 것에 대한 집념이 대단해졌네요."

비틀대며 페달을 밟던 진혜리가 힘없이 따라붙었다.

"그러게요. 진 팀장은 괜찮나요?"

"이강ㅇ…… 아니, 괜찮습니다."

"무슨 말을 하고 싶은지는 알겠네요."

이현지는 웃었다. 말하지 않아도 진혜리의 마음을 잘 알고 있었다.

투자자들을 만나고 이틀 후, 강윤은 무안공항에서 해남으로 가는 차를 타고 있었다. 연습생들이 목포에 도착했다는 보고를 받은 이후였다.

"트위스텔 봤어? 복근 완전 미쳤더라!!"

"거기다 빨래 밀고 싶어라."

"난 머리를 비비적대고. 아아~ 상상만 해도 행복해."

뒷좌석에선 에디오스 멤버들이 왁자지껄 떠드느라 정신이 없었다. 복근 이야기에 이삼순과 한주연, 크리스티 안이 눈을 반짝였다.

에일리 정이 지나가듯 이야기했다.

"어차피 우리 연애 금지인데."

"……."

에일리 정이 모두의 눈총을 한 몸에 받을 때 정민아는 창틀에 머리를 기대고 자고 있었다.

서한유가 강윤이 앉아 있던 앞좌석을 향해 머리를 쑥 내밀었다.

"회장님, 저희 진짜로 연습생들 보러 가는 건가요?"

"응, 바쁜데 갑자기 불러서 미안해. 그래도 애들 사기도 있으니까……."

중국에 있던 에디오스를 갑작스럽게 호출해서 무슨 일인가 싶었다. 서한유는 선선히 고개를 끄덕이곤 자리에 앉았다. 옆에 앉아 있던 에일리 정이 말했다.

"중국 스케줄까지 하나 취소까지 했는데, 연습생 뒤나 닦아주……."

"후배들은 중요하죠. 당연히, 당연히."

폭탄이 떨어지려는 찰나 크리스티 안이 얼른 끼어들었다. 한주연이 에일리 정에게 헤드락을 걸어 응징했다.

강윤은 변함없는 에디오스를 보며 웃었다.

"사실 너희들과는 관계없을지도 모르지만 나 도와준다고 생각하고……."

"……뭐, 괜찮아요. 다들 그렇잖아."

창밖을 바라보던 정민아가 툭 내뱉었다. 강윤의 표정이 어색해졌다.

"그, 그래."

"쟤 또 시크한 척한다. 그래 봐야 웃기기만 하거든?"

"야, 야!!"

크리스티 안이 정민아의 어깨를 끌어안았고 이내 소란이 일었다.

차는 시끌시끌하게 해남으로 향했다.

고속도로를 지나 국도를 타고 일행은 해남에 도착했다. 모두가 땅끝을 상징하는 바위 앞에 섰다. 해가 뉘엿뉘엿 지고 있었다.

"언제쯤 도착하려나."

1시간쯤 지나자 자전거들이 보이기 시작했다. 10여 대에 이르는 자전거를 보며 에디오스 멤버들은 손을 흔들었다. 다가오는 자전거의 속도가 점점 빨라졌다.

가장 먼저 도착한 건 이현지였다. 그녀는 마스크를 벗으며 잔뜩 상기된 얼굴을 드러냈다.

"회장님? 너희들까지…… 어떻게 된 건가요?"

예고가 없었기에 놀라움은 더했다. 이어 도착한 연습생들도 마찬가지였다. 자전거를 타며 내내 입에 오르내리던 강윤이 눈앞에 있으니 순간 움찔했다.

이어 에디오스 멤버들은 연습생들에게 붙었고, 강윤은 지쳐 버린 진혜리와 이현지에게 물을 건넸다.

"감사합니다, 회장님. 어떻게 여기까지 오셨어요?"

"고생시켰는데, 이 정도는 해야죠. 수고했습니다."

마지막에 도착한 진혜리는 다리가 풀려 바닥에 주저앉아 버렸다.

물을 단번에 1리터 가까이 비워 버린 이현지는 강윤을 돌아보았다.

"회사는 별일 없었나요?"

"별일 없다고 말하고 싶지만, 그렇지는 않군요."

"저 그냥 부산까지만 다녀오면 안 될까요?"

이현지가 도리질하자 강윤과 진혜리는 웃음을 터뜨렸다.

간단하게 회포를 풀고 일행은 미리 예약해 놓은 숙소로 향했다.

강윤은 식당을 통째로 빌려 고기 파티를 열었다. 숯불까지 직접 피웠다. 에디오스 멤버들은 상추를 씻고 상을 펼쳤다.

"나 몸값 완전 비싼데……."

"회장님한테 받으시든가."

상추를 씻던 에일리 정이 칭얼거리자 함께 있던 크리스티안이 단숨에 제압해 버렸다.

서한유는 수저를 놓았고 이삼순과 한주연은 그릇을 준비했다. 강윤은 토치를 잡고 숯에 불을 가했다. 정민아는 숯에 불이 올라오는 광경을 신기하게 바라보고 있었다.

"나도 해볼래요."

"안 돼. 밤에 오줌 싼다."

"뭐, 뭐래!! 나도 여자거든요?"

선배들과 회장님이 파티를 준비하는 동안 자전거 일주 멤버들이 한껏 말끔해진 모습으로 식당에 나왔다. 막 고기가 나오기 시작한 타이밍이었다.

"우와아……."

엔티엔 멤버들은 걸신이라도 들린 듯 젓가락을 들고 고기를 해치우기 시작했다. 강윤의 손도 빨라졌다.

"고기, 맛있다."

"한국식 바비큐. 좋지?"

"최고, 최고."

이시하라 유이는 고개조차 들지 않았다. 윤다영은 이를 흐뭇하게 지켜보며 젓가락을 들었고 신 루리도 언니보다 고기에 집중하며 그릇을 비웠다.

다른 멤버들도 마찬가지였다. 음료수와 고기가 빠르게 사라져 갔다.

자전거 무용담을 자랑하는 연습생부터 선배에게 조언을 듣는 연습생, 자랑하는 가수에 투덕대는 그룹 등등, 식당이 떠들썩했다.

배를 가득 채운 이현지가 숯불 앞에 서 있는 강윤에게 다가왔다.

"회장님도 식사하세요."

이현지가 팔을 걷어붙이고 다가오자 강윤이 고개를 저었다.

"오늘은 쉬십시오. 이런 날이 흔하진 않을 테니까요."

"호오, 그래요?"

이현지는 음료수를 들고 연습생들과 한데 섞였다.

'산 하나는 넘은 건가.'

자연스러워진 엔티엔 멤버들을 바라보며 강윤은 안도의 한숨을 내쉬었다. 모두가 개성이 강해 섞이기가 매우 힘든 녀석들이었다. 다행히 함께 힘든 과제를 해낸 보람이 있었다.

한창 고기를 굽고 있는데 누군가가 옆구리를 찔렀다. 돌아보니 정유리가 그를 올려다보고 있었다.

"왜? 고기 더 줄까?"

"아니요, 할 말 있어서요."

고기 굽는 소리가 퍼져 가는 가운데 정유리가 말을 이어 갔다.

"저 허벅지 터지는 줄 알았어요. 정말 너무 힘들었어요."

"쉽지 않았을 거야. 유리는 이제 겨우 중학생인데 더 힘들었겠지."

"회장님 완전 싫었어요. 그래도…… 고기 구워주셨으니까 봐드릴게요."

정유리는 총총대며 정민아가 있는 곳으로 가버렸다. 얼마 가지 않아 정민아와 투덕대기 시작했다. 강윤은 픽 하며 웃음을 터뜨렸다. 그런 그에게 이시하라 유이가 다가왔다.

"회장님, 나빴다요."

"풋, 많이 힘들었어?"

"너무 힘듭니다. 여기 너무 멉니다. 문희 언니 거짓말했슴미다. 회장님 싫었습니다."

말은 장황했지만 결국 힘들다, 다리 아프다는 이야기였다. 강윤은 고기를 뒤집으며 고개만 끄덕였다.

"그래도 좋았습니다. 다들 친해졌습니다. 감사합니다."

강윤은 이시하라 유이의 접시에 고기를 가득 담아주었다. 그녀는 신이 나서 다시 식탁으로 향했다. 이어 다른 연습생들도 고기를 받으러 왔다.

다들 하는 이야기는 비슷했다. 힘들었다, 싫었다, 그래도 친해져서 좋았다.

강윤은 묵묵히 들으며 고개를 끄덕였다.

마지막으로 온 연습생은 양채영이었다. 힘들었는지 트레이드마크인 눈화장도 없었다.

"오늘은 눈화장 안 했어?"

"……누구 때문에 할 시간도 없었죠. 더 주세요."

강윤은 웃으며 고기를 가득 쌓아주었다. 양채영은 홱 돌아섰다가 다시 강윤 쪽으로 돌아섰다.

"저 정말 회장님 원망했어요."

"힘들 만했지."

"이거 왜 해야 하는지도 몰랐고요. 다리는 터질 것 같았고요. 근데 이게 정말 도움이 된 건가요?"

서로 가까워졌다는 다른 멤버들과는 달리, 그녀는 크게 변한 것이 없다고 했다. 강윤은 묵묵히 듣다가 입을 열었다.

"음…… 이 한마디면 될 것 같은데. 이게 아무나 할 수 있는 게 아니라는 거? 그걸 모두가 다 같이 해냈다는 것."

양채영이 고개를 갸웃하자 강윤은 그녀의 어깨를 가볍게 두드렸다.

"날 원망하고 싶으면 해도 좋아. 느낀 게 없다는 것도 네 감정이니까. 하지만 이건 기억해 줘. 함께 아무나 할 수 없는 일을 해냈다는 것."

"아무나 할 수 없는 일을…… 해냈다?"

양채영은 뭔가를 골똘히 생각하다가 돌아갔다.

고기 파티는 무척 길었다. 준비해 온 고기가 부족해서 더 많은 고기를 준비해야 했다.

♪

늦은 밤.

강윤과 이현지는 밤 산책에 나섰다. 주변을 걸으며 두 사람은 담소를 나누었다.

"……결국 파인스톡이 그런 선택을 했군요."

강윤에게서 이츠파인 이야기를 듣고 이현지는 씁쓸히 입꼬리를 올렸다.

바람이 거세져 두 사람은 근처의 카페에 들어섰다. 늦은 시간이라 카페 안에는 아무도 없었다. 2층 창가에 자리를 잡고 바다를 바라보았다. 어둑한 밤바다에 등대의 불빛이 밝게 빛났다.

이현지가 말했다.

"동업은 대부분 끝이 좋지 않군요. 그래도, 하세연 사장은 다를 거라고 생각했는데……."

강윤은 차를 넘기곤 말했다.

"이미 일은 벌어졌습니다. 앞으로가 중요하겠죠."

"맞네요. 회장님은 어떻게 하길 원하세요?"

"파인스톡 입장에선 투자자지만 우리가 보기엔 참견자일 뿐입니다. 그쪽은 이츠파인을 돈으로 생각할 뿐이었습니다."

이현지가 커피를 내려놓았다.

"많은 투자회사가 그런 식이죠. 방법은 두 가지네요. 참견자를 쫓아내든가 새 판을 짜든가."

강윤이 몸을 기울이자 이현지도 자세를 바로 했다.

"투자자들에게서 지분을 인수하는 방법이 있어요. 막대한 자금이 들어가겠지만 확실하죠."

"새 판을 짠다는 건 어떤 겁니까?"

이현지의 눈이 빛났다.

"파인스톡을 대신할 경쟁자를 끌어들여 파인스톡이나 투자자들과 맞서게 하는 거죠. 파인스톡의 기술력에 맞설 수 있을 정도라면…… 세이스 정도가 있겠군요."

2화
뿌린 대로

투자를 유치하면 회사의 분위기는 한층 고무되게 마련이다. 하지만 하세연 사장의 얼굴은 이전보다 어두워져 있었다.

"……두 배가 늘었다는 거죠? 작년에 비해서?"

분기별 보고서를 내려놓으며 하세연 사장은 한숨을 내쉬었다. 부채를 나타내는 그래프가 두드러지게 높이 솟아 있었다. 보고서를 제출한 임원의 표정도 어두웠다.

"……면목이 없습니다."

"아닙니다. 유 이사님 잘못이 아니에요."

하세연 사장은 한숨을 쉬며 보고서를 덮었다. 잠시 망설이던 그는 힘겹게 운을 뗐다.

"그, 그래도 투자받은 자금도 들어왔으니 곧 사정이 나아질 겁니다."

"그래야죠. 사실상 이츠파인을 내주고 받은 투자니까요. 하아, 진짜…… 그런 물건을 들여온다는 조건을 수락하는 건 아닌데."

"사장님."

임원은 눈을 질끈 감았다. 하세연 사장도 입술을 질끈 깨물었다.

"유 이사님, 다시 물어볼게요. 정말, 이 방법밖에 없던 건가요?"

"……."

"아무리 이강윤을 흔들어 놓을 필요가 있다고 해도 이렇게까지…… 분명히 문제가 생길 거예요. 이건 견제가 아니에요, 망치는 거지."

"……."

임원은 끝까지 아무 말도 하지 않았다.

하세연 사장은 자리에서 일어나 창가로 돌아섰다. 창가의 햇살이 그녀를 통과해 그림자를 만들었다.

"이 회장이 어떻게 나올 것 같나요?"

"……가만히 있지는 않을 겁니다."

"……그러겠죠? 계약 위반이라며 소송을 걸 수도 있으니, 준비해야겠네요."

창밖을 바라보는 하세연 사장의 눈은 깊이 가라앉아 있었다. 햇살이 오늘따라 더욱 무심하게 느껴졌다.

자전거 일주가 끝났다. 엔티엔 연습생들과 이현지도 일상으로 돌아왔다.

강윤은 그들에게 하루의 휴식을 주었다. 한국인은 집으로, 외국인 연습생들은 호텔에서 하루 동안 휴식을 취했다.

스케줄은 이전과 크게 달라지지 않았다. 개인, 단체 보컬 연습과 안무, 연기를 위한 발성 등 대부분이 그대로였다.

달라진 건 따로 있었다.

"자, 따라 해봐. 저기 높은 곳-- 아무도 없는--"

"저어기 노프 곤-- 아무도 어는--"

"잠깐. 이시, 발음이 불안하잖아. 느려도 되니까 또박또박."

개인 보컬 연습 시간이었다. 윤다영은 이시이 아키나의 발음을 체크해 주었다.

"다영, 음 떨어진다."

"알았어."

이시이 아키나는 윤다영의 불안한 음정을 체크해 주었다. 이전과 달라진 모습에 트레이너 안시진은 흥미로운 눈으로 지켜보았다.

'뻘짓이 효과가 있긴 있었네?'

강윤의 행동이 이해가 안 갔건만 효과는 탁월했다.

다른 연습실도 분위기는 비슷했다.

"그게 아니야. 왼발이 먼저 나가야지."

"왼발, 왼발. 이렇게?"

"아니아니, 너무 짧잖아. 좀 더……."

이시하라 유이와 감효민은 신 차오에게 안무를 가르치느라 열을 올리고 있었다. 평소라면 잔소리듣기 싫다며 뒤엎었을 신 차오였지만 무슨 일인지 땀까지 흘려가며 열심을 내고 있었다.

같은 방에 있던 다른 그룹도 연습에 열을 내고 있었다.

"후우, 후……."

이혜성은 숨을 헐떡이며 막내 정유리의 안무를 흉내 내고 있었다. 거친 숨을 몰아쉬는 언니를 힐끔 쳐다보더니, 정유리는 안무의 템포를 낮췄다.

"……갑자기 무리하면 무릎 다쳐요."

첫째와 막내는 서로를 바라보며 안무를 맞춰갔다.

양채영과 신 루리는 휴게실에서 앉아 땀을 식히며 수다 삼매경에 빠져 있었다.

[중국어, 어디서 배웠어?]

[엄마한테. 어때?]

[나쁘진 않다. 왜 그동안 안 했어? 중국어 하는 친구 그리웠는데.]

[그냥, 네 언니가 맘에 안 들어서?]

[야아~]

중국어로 소통을 하며 두 사람은 점점 가까워졌다.

엔티엔 연습생들의 분위기는 이전과 판이하게 변해 있었다. 이 모든 사항은 트레이너들의 보고서를 통해 강윤에게도 보고되었다.

"부산까지는 안 가도 되겠군요."

강윤은 보고서를 덮으며 한숨을 쉬었다. 회장실 소파에 앉아 커피를 마시던 이현지는 몸서리를 쳤다.

"부산이라면 전 빠질게요. 이번엔 회장님이 다녀오세요. 아니, 앞으론 연습생보다 외부 가수를 섭외하는 게 어떨까요?"

"하하하. 그럴까요?"

강윤도 이현지 앞에 앉아 커피를 홀짝였다.

엔티엔 연습생에 대한 담화를 나누다가 이야기는 다른 곳으로 흘러갔다. 다 마신 커피잔을 내려놓고 이현지가 물었다.

"정말 세이스와 접촉하실 생각이신가요?"

"당장 파트너를 저버릴 수는 없지만…… 아직은 모르겠습니다."

강윤은 씁쓸한 얼굴로 커피를 들었다. 이현지는 심각한 얼굴로 말을 이어갔다.

"아직 저쪽에서 움직이지 않았는데, 우리가 먼저 움직이면 명분만 주는 꼴이 될 수도 있어요."

"잠깐 기다려야 한다, 그 말이군요."

강윤은 고개를 끄덕였다.

이야기를 끝내고 이현지가 자리에서 일어나려는데, 강윤의 자리에서 벨소리가 울렸다.

-회장님, 이준열 씨의 방문입니다. 어떻게 할까요?

"준열이가요? 들어오라고 하세요."

기다릴 새도 없이 문이 벌컥 열렸다. 이준열이 들어서며 요란스럽게 외쳤다.

"혀엉!! 회장니임!!"

"적당히 들어와. 요란해."

이준열은 달려오자마자 강윤을 끌어안았다. 이현지에겐 뚱하게 손을 흔들곤 눈동자를 굴려 회장실 곳곳에 눈을 돌렸다. 책상 위에 잔뜩 쌓여 있는 서류를 보며 기겁하고 창밖으로 보이는 쇼핑몰을 보며 눈동자를 키웠다.

거한 리액션을 마치자 차가 나왔다. 이준열이 자리에 앉자 강윤이 물었다.

"무슨 일로 왔어?"

"형도 참, 성질 급해. 동생이 형 보고 싶어서 온 거지."

"한가하게 잡담 나눌 시간 없잖아. 스케줄 빡빡한 거 다 알아. 말해봐."

이준열은 곧 머쓱한 웃음을 흘렸다. 이준열은 가방에서 서류 하나를 꺼내 들었다.

"하여간, 형은 감이 좋다니까. 오늘은 가수로서 온 거야."

강윤은 이준열에게서 서류를 받아 들었다.

「월드 가수, 세디, 디에스 합동 콘서트(가제) 기획안」

함께 서류를 보는 이현지의 눈이 동그래지는 가운데 강윤은 서류를 넘기며 고개를 갸웃했다.

"기획안을 왜 나한테 가져왔어? 클래식에 연락해야지."

"그 최 뭐 하는 아저씨보다 형이랑 더 친하잖아. 사소한 건 됐고, 여기 봐, 여기."

이준열은 기획안을 넘겼다. 목차를 넘어 출연진을 보자 강윤과 이현지의 눈이 휘둥그레졌다.

"에디오스에 유리, 은하, 하얀달빛, 김재훈? 우리 가수들 전부잖아?"

"디에스와 준열 씨도 있네요."

이현지도 고개를 갸웃했다. 월드 소속이지만 하얀달빛을 제외하고 스케줄을 조절하기가 쉽지 않은 가수들이었다. 강윤은 짧게 한숨을 쉬고는 기획안을 덮어버렸다.

"스케줄 모두 맞추는 게 거의 불가능하다는 건 알고 있지?"

"뭐야, 형답지 않게. 일 키우는 거 좋아하잖아."

"풋."

이현지가 입을 가리고 웃는 가운데, 강윤의 얼굴이 기괴해졌다. 이준열은 진지한 눈으로 강윤을 바라보았다.

"형, 나 농담하는 거 아니야. 형은 마음만 먹으면 가능하고도 남잖아? 사실 이 나라에서 형만큼 콘서트에 빠삭한 사람도 없고."

"그게 말처럼 쉬운 게 아니야."

"항상 형은 그렇게 말했지. 월드 가수들도 형이 하자고 하면 당장 스케줄 다 뺄걸? 형이 떠는 내숭은 귀엽지 않아."

이현지는 계속 키득키득 웃었고 강윤의 눈매는 일그러졌다. 이준열은 기죽지 않고 그를 쏘아보았다. 그녀는 팔에 턱을 괸 채 두 남자를 흥미로운 눈길로 지켜보았다.

'재미있겠네. 그나저나 예산이 되려나? 콘서트라면 6개월은 걸릴 테니까. 여름에서 가을 정도?'

이현지가 다른 생각을 하는 동안 이준열은 열변을 토해냈다.

"생각해 봐. 브라질에서 20만 명이었다며? 여긴 홈그라운드인데 30만 명은 거뜬하지 않겠어?"

강윤은 기찬 웃음을 내뱉었다.

"야, 30만 명이 장난인 줄 알아? 우리나라에서 30만 명이 모일 장소가 있는 줄 알아?"

"아, 형. 안 된다고만 하지 말고? 응?"

이준열은 계속 강윤을 설득했지만 단번에 마음을 돌리지는 못했다.

한참 동안 티격태격하던 이준열은 기획안을 책상 위에 놓고 일어났다.

"좋은 방향으로 생각해 줘. 기대하고 있을게!!"

이준열은 손을 흔든 후 돌아갔다.

강윤은 기획안을 살피다가 다시 올려놓고는 창가에 섰다. 유로스 쇼핑몰의 북적이는 모습이 눈에 들어왔다. 이현지가 그의 곁에 다가와 섰다. 두 사람은 한 방향을 말없이 바라보았다.

잠시 시간을 흘려보내다가 이현지가 말했다.

"얼토당토않은 기획안은 아닌 것 같네요. 세디와 디에스가 포함되어 있기는 하지만 우리 소속사의 모든 가수가 총출동한다라……. 예전의 MG 스테이지가 생각나네요."

강윤은 팔짱을 끼었다.

"제 생각에도 MG 스테이지와 비슷한 것 같습니다. 메리

트는 있지만 문제는 비용입니다. 만약에 한다면 여력이 있을까요?"

"중국 진출에 이츠파인 문제도 있어서…… 장담할 수는 없어요."

부정적인 답이 들려오자 강윤은 어깨를 늘어뜨렸다.

"이사님이 어렵다면 무리하게 진행하지 않겠습니다."

이현지는 웃으며 고개를 저었다.

"정확히 모르겠다는 거지 반대하는 건 아니에요. 투자금을 받거나 펀드를 유치한다거나, 자금을 마련할 방법은 많으니까요. 바로 포기하기에는 너무 아까운 아이템인 것 같네요."

잠시 생각하던 강윤은 고개를 끄덕이며 돌아섰다.

"알겠습니다. 일단 가수들 이야기도 들어보고 결정하는 게 좋겠습니다."

"그게 좋겠어요. 지금까지 중 가장 큰 프로젝트가 될 수도 있을 테니까요."

이현지는 편안하게 고민하라며 회장실을 나섰다.

자리에 앉아 강윤은 메모지에 이것저것을 적으며 생각들을 정리해 갔다. 이츠파인 문제에 새로운 과제까지. 쉽사리 결론은 나지 않았다.

'희윤이한테 가 볼까?'

고민하던 강윤은 서류를 덮어버리고 희윤이 있는 작업실로 향했다. 작업실 문을 조심스럽게 여니 방 안에 음표들이 떠돌고 있었다. 신디사이저를 연주하던 희윤은 인기척을 느끼곤 강윤 쪽으로 눈을 돌렸다.

"오빠."
"방해한 건 아니지?"
"에이, 아냐."
강윤이 희윤의 옆에 앉았다. 그녀의 손가락이 다시 분주해졌다.
신디사이저에서 흐르던 음표들이 검은빛을 만들다가 회색빛을 띠어갔다. 강윤의 눈살이 절로 찌푸려졌다.
강윤이 불편해하는 걸 느낀 희윤은 연주를 멈추곤 그에게로 시선을 돌렸다.
"여기 좀, 이상하지?"
"박자를 일부러 엇갈리게 한 건가?"
"응, 멜로디는 괜찮았거든? 그런데 느낌이 안 살아. 발라드곡인데, 좀 더 격한 느낌을 주고 싶다고 하거든?"
"어디, 한번 볼까?"
희윤이 다시 연주를 시작하자 강윤도 신디사이저에 손을 얹었다. 연주가 진행되면서 조금씩 회색빛이 옅어졌다. 희윤의 얼굴도 화색을 띠었다. 이어 피아노는 전자 바이올린 소리로 변신했고 거기에 스트링 소리가 얹혔다.
작업이 진행되면서 희윤의 얼굴도 한껏 밝아져 갔다. 막혀 있던 연주가 물 흐르듯 흘러가기 시작했다. 강윤은 신디사이저에서 손을 뗐다.
악보에 기록까지 마친 희윤은 강윤을 돌아보았다.
"휴우, 한시름 덜었네. 고마워, 오빠. 흠……."
희윤은 강윤을 빤히 들여다보더니 실눈을 떴다.

"오빠, 고민 있지?"
"고민은 무슨. 그런 거 없어."
"에이, 오빠를 내가 아는데? 말해봐. 누나가 다 들어줄게."
강윤이 피식 웃었지만 희윤은 어깨동무를 하며 다독이는 시늉을 했다. 웃음을 흘리던 강윤은 짧게 숨을 내뱉곤 이준열과 한 이야기를 풀어놓았다.
희윤은 강윤의 어깨에서 내린 손을 자신의 턱에 올렸다.
"……그러니까, 회사 모든 가수가 모여서 하는 콘서트라는 거지?"
희윤은 잠시 뜸을 들이다 말을 이어갔다.
"어렵다. 하고는 싶은데, 오빠를 보면 반대하고 싶고."
"무슨 말이야?"
"콘서트 하면 곡 작업할 것도 많아지니까 좋지. 새로운 시도도 할 수 있을 거 아냐. 그건 좋아. 근데 오빠가 또 집에 안 들어올 거잖아."
"하하……."
의외의 일격이었다. 강윤은 어색하게 웃음을 흘렸다. 희윤은 실눈을 뜬 채 강윤을 바라보았다.
"쉬엄쉬엄한다고 약속하면 반대하진 않을게."
"찬성이 아니고?"
"다른 사람들이 다 하자고 말할 것 같아서. 난 중립을 지킬게."
강윤은 어깨를 으쓱이며 작업실을 나섰다. 가수들에게 찬반 여부를 묻기 위해서였다.

♪ ♫ ♩ ♪ ♫ ♩ ♪

중고차 시장에 때아닌 방송 장비들이 등장했다.

10여 대가 넘는 카메라와 헬리캠까지 등장해 차를 사러 온 사람들과 주변 상인들까지 몰려들었다.

1번 카메라가 잡고 있는 건물 앞, 중앙에 선 메인 사회자 신기영은 박수와 함께 게스트들의 시선을 모았다. 출연자들은 리액션과 멘트를 하며 녹화를 진행하고 있었다.

"문희 씨는 일본에서 유리라는 예명으로 활동하셨죠? 엔카라는 장르가 한국에서는 생소한 장르인데 소개를 부탁드립니다."

신기영은 오른쪽에 서 있는 인문희에게 눈을 돌렸다. 그녀는 카메라로 눈을 돌렸다.

"엔카는 일본의 트로트라고 이해하시면 편할 거예요. 연설을 노래로 만든 게 첫 유례였어요. 그 이후 계속 사랑받은 장르입니다. 쉬운 멜로디와 가사로 지금까지 사랑받고 있어요. 트로트와 유사하다 보니 한국에서도 진출하는 분이 꽤 있어요."

"아아, 문희 씨는 오리콘 차트 1위를 밥 먹듯이, 밥 먹듯이!! 했다고 들었는데요."

"오오."

오리콘 차트 1위라는 말에 모두의 시선이 그녀에게로 향했다. 끝에 있던 여자 게스트 한 명이 끼어들었다.

"근데 오리콘에 대해 잘 몰라요."

시비조가 날아들었지만 인문희는 웃으며 답했다.

"한국에선 사람들이 잘 몰라줘서 지하철을 타고 다닌 적도 있어요."

"하하하."

분위기가 냉각되려는 찰나 촬영장에 웃음꽃이 피었다.

소개 촬영이 끝나고 간단한 게임이 시작됐다. 팀을 나누어 이마에 동전을 붙여 오래 버티는 사람이 이기는 게임이 시작되었다.

첫 번째 순서로 여자들이 나섰다. 인문희와 조금 전의 여자 게스트였다.

"시작."

사회자 신기영의 신호와 함께 두 사람은 이마에 동전을 붙였다. 여자 게스트는 한 개를 붙이자마자 바로 떨어져 버렸다. 반면 인문희는 끈끈이라도 붙인 양 떨어지지 않았다.

"오오, 하나 더 붙여봐."

동전이 하나하나 늘기 시작했다. 500원짜리가 두 개, 세 개…… 5개가 되어 더 붙일 곳이 없을 때까지 동전은 떨어지지 않았다. 사람들의 입이 쩌억 벌어졌다.

"유리겔라야?"

"야, 수저 가져와 봐, 수저."

남자 게스트가 스태프에게 수저를 받아 인문희의 볼에 붙였다.

"헉!!"

수저가 떨어지지 않았다. 사람들 모두의 눈이 휘둥그레졌다. 수저 하나를 또 가져오려는데 그제야 동전이 바닥으로 떨어졌다.

"문희겔라야, 문희겔라."

"푸하하하."

"대박."

이후에도 인문희는 몸을 사리지 않았다. 처음에 오리콘 차트 1위 출신이라고 걱정하던 사람들은 그녀의 열정에 놀라 자신들도 열정적으로 촬영에 임했다.

촬영이 뜨거워지자 지켜보던 하경락 PD의 입가는 옆으로 찢어졌다.

'월드 애들은 몸도 안 사리고. 교육 참 잘 받았어. 저것들 다 살린다. 알았지?'

'네.'

1박 2일의 촬영 일정은 순조롭게 진행되어 갔다.

날이 따뜻해지며 땅에는 새싹이 솟기 시작했다. 매섭게 불던 바람도 한결 부드러워졌다.

지금까지 별문제 없이 서비스되던 이츠파인에서 조짐이 보이기 시작됐다.

–이츠파인 또 터짐? 왜 저럼?

–서버 점검만 몇 번째냐?

-요새 돈 벌더니 배불렀나? 서버 좀 사라.

점검 대란이 터졌다. 평상시와 다름없던 정기 점검이 예정된 시간을 훌쩍 넘기며 문제가 시작됐다. 아침 7시에는 풀렸어야 할 정기 점검이 12시간을 훌쩍 넘겼고, 자정까지 이어져 원성을 샀다.

점검이 끝난 후에도 며칠 못 가서 서버가 다운, 점검을 반복했다. 같은 문제가 한 달 동안 계속해서 이어지고 있었다.

서비스 이용자들도 가만히 있지 않았다. 이츠파인 게시판뿐만 아니라 고객센터, 심지어 월드 스튜디오 게시판과 파인스톡 게시판까지 난리가 났다.

파인스톡에서 기술 인력까지 파견, 대대적인 지원에 나섰지만 원인을 잡지 못하고 있었다.

강윤은 이츠파인 총책임자, 전형택 상무를 찾아갔다. 그는 강윤 앞에서 고개를 들지 못했다.

"죄송합니다, 회장님. 최선을 다해 복구하고 있지만……."

"같은 이야기만 2주째 듣고 있습니다."

전형택 상무는 고개를 푹 숙인 채 작게 이야기했다.

"그, 그래도 나아지긴 했습니다. 서버 장비를 가는 데 그치지 않고 대대적으로 증설했습니다. 거기에……."

평소답지 않게 강윤은 실소를 머금었다.

"그래 봐야 같은 곳에서 들여온 장비겠죠."

"……."

전형택 상무의 고개가 아예 바닥에 닿을 지경이었다. 강윤의 눈빛이 더욱 사나워졌다.

"이해할 수가 없습니다. 문제가 생길 걸 알면서도 계속해서 완청(完成)이라는 회사의 장비를 사용하는 이유를 모르겠습니다. 제가 파인스톡의 노하우를 잘못 평가했던 건가요?"

"그게…… 회장님. 장비란 게 쉽게 예측이 되는 것이 아닙니다. 특히 최적화와 안정화는 단순한 문제가……."

"됐고, 문제는 언제 해결되는 겁니까?"

강윤의 목소리가 낮아지자 전형택 상무는 힘겹게 고개를 들었다.

"……최대한 빨리 해결하겠습니다."

결국 알 수 없다는 이야기였다.

2주 전 대대적인 서버 증설 작업을 거친 이후로 3일에 한 번꼴로 서버가 다운되는 사태가 일어났다. 중국에서 새 장비가 들어왔다더니 모든 일이 그 이후 일어났다.

강윤은 보고서를 건네며 눈매를 좁혔다.

"일단 기다리겠습니다. 서버와 장비는 파인스톡 담당이니…… 오늘을 넘기지 말아주십시오"

"알겠습니다."

전형택 상무가 나간 후 강윤은 모니터링에 들어갔다. 월드스튜디오 게시판에도 이츠파인에 관한 내용이 가득했다.

―이츠파인 요새 이래요? 가수만 신경 쓰지 말고 이츠파인도 신경 써주세요.

―월드답지 않습니다. 서버 좀 고쳐 주세요.

—서버 좀…….

그나마 월드의 게시판은 신사적이었다. 이츠파인이나 파인스톡 게시판은 보다 직접적이었다. 포털 사이트에도 서버 다운에 관한 기사들이 메인에 올라 있었다.

어두운 얼굴로 모니터링을 하는데 핸드폰이 울렸다. 하경락 PD였다.

—촬영 무사히 마쳤습니다. 문희 때문에 걱정하실 것 같아 미리 연락드립니다.

강윤이 촬영에 대해 묻자 그는 웃으며 시원한 톤으로 답했다.

—하하하!! 결과부터 말씀드리면 아주 만족스럽습니다. 아주 드문 캐릭터를 발견했어요. 오리콘 1위다, 일본에서 날렸다 해서 공주님은 아닐까 긴장했는데…… 몸을 사리지 않아요. 게다가 캐릭터 부잡니다, 부자. 캐낼수록 계속 나와요. 덕분에 분량도 많았고 촬영도 즐겁게 했습니다.

"하 PD님이 잘 도와주신 덕입니다."

안 좋은 소식만 듣다가 좋은 이야기를 들으니 마음이 한시름 놓였다.

서류를 처리하고 강윤은 가수들이 있는 작업실로 향했다. 최근 스케줄이 많아 소속 가수들 모두가 자리를 비우고 없었다. 대신, 다른 가수들이 있었다.

"어? 팀장님!!"

여성 듀엣 가수, 디에스였다.

신디사이저를 치던 김진경은 손을 흔들었다. 옆에서 노래하던 윤혜린은 팀장이란 말에 핀잔을 놓았다.

"진경스, 이제 팀장님 아니라고 몇 번 말해. 그쵸, 회장님?"

윤혜린의 애교 섞인 말과 함께 김진경의 손이 멈췄다. 주변을 돌던 음표가 사라졌다. 뜻밖의 만남에 강윤은 환하게 웃으며 손을 내밀었다.

"너희들, 어떻게 된 거야?"

"어떻게 되긴요. 이사 언니가 오라고 해서……."

김진경의 말이 끝나기가 무섭게 뒤에서 인기척이 났다. 돌아보니 이현지가 문틀에 팔을 기대고 서 있었다.

"회장님도 있었네요. 잘됐어요. 가려고 했는데."

디에스와 이현지를 번갈아 보며 강윤은 의아한 얼굴로 물었다.

"반갑긴 하지만, 디에스 애들, 앨범 막 내서 엄청 바쁜 걸로 압니다. 무슨 일로……?"

"아무리 바빠도 언니가 부르면 와야죠. 그렇지?"

"네에~!!"

디에스 멤버들이 한목소리로 외치자 강윤은 의아해했다.

'애들이 이사님하고 언니 동생 하는 사이였나?'

강윤이 어깨를 으쓱이자 이현지가 강윤의 등을 두드리며 돌아섰다.

"자자, 저녁이나 먹으러 가죠. 모처럼인데."

의문을 품은 채 강윤은 여자들에게 이끌려 회사를 나섰다.

네 사람은 근처 고깃집으로 향했다. 무려 투 플러스 한우

집이었다. 직원이 구워준 고기들은 순식간에 여자들의 배 속으로 사라졌고, 술병들도 발밑에 하나하나 쌓여갔다. 여자들의 엄청난 식성을 보고 강윤은 고개를 절레절레 흔들었다.

안줏거리로는 과거 이야기만 한 것이 없는 법, 김진경이 풀린 얼굴로 이야기를 늘어놓았다.

"……팀장님 덕에 자리 잡고 노래 잘되나 싶었는데, 이상하게 나가 버리고. 우린 완전 나가리 됐었어요. 이사들은 붕 뜬 우리들을 어떻게든 해보려고 이러쿵 저러쿵……."

뒷말은 또렷한 목소리로 윤혜린이 받았다.

"그때 이사 언니가 적극 뒤를 봐줬어요. 나중에는 다른 기획사와 계약자리도 주선해 줬고요. 그래서 지금까지 올 수 있었죠."

"……쉽지 않았겠네."

강윤은 이현지에게서 술을 받으며 씁쓸히 답했다. 김진경이 헤실대며 잔을 들었다.

"에이, 그럴 수 있죠. 자, 건배에!!"

한참 동안 신나게 배를 채운 디에스 멤버들은 배를 두드리며 의자에 몸을 기댔다. 윤혜린이 강윤에게 눈을 돌렸다.

"지난번에요. 준열 오빠가 말했던 거 있잖아요."

"아, 그거?"

이현지는 고기를 자르다가 끼어들었다.

"만장일치였죠?"

"하, 하하."

강윤이 어색하게 웃자 이현지는 입꼬리를 올렸다.

"반대하는 사람이 한 명도 없었다고 했죠?"
"……네, 하여간."
강윤은 고개를 절레절레 흔들었다. 윤혜린과 김진경은 젓가락을 말아쥔 채 쾌재를 불렀다.
"앗싸~!! 그럼 하는 거죠?"
"아직 몰라. 상황을 봐야……."
"저희가 고기 살게요. 네?"
치이익--
고기가 익어갔다.
이현지가 익은 고기를 잘라 접시 위에 놓자 윤혜린은 쌈을 싸서 강윤 입에 넣어주었다. 마늘, 기름장이 고기의 맛을 한결 끌어올렸다. 쌈을 씹는 강윤의 얼굴이 풀어진 걸 느끼고는 김진경이 말했다.
"MG 스테이지, 정말 하고 싶은데……."
"색깔이 다른 가수를 한 무대에 모으는 게 쉬운 게 아니야. 방송하고는 완전히 다르다고. MG에서도 세 번밖에 못한 이유가 있……."
강윤의 입을 막듯 윤혜린은 고기쌈 하나를 더 넣어주었다. 강윤이 우물거릴 때, 이현지가 말을 받았다.
"4번째 MG 스테이지가 엎어진 이유는 회장님 때문이에요."
"에? 우스 아이니까?(네? 무슨 말입니까?)"
"김진호 이사가 회장님께 횡령 혐의를 씌우기 전, 내가 결제하려던 서류가 MG 스테이지였거든요. 지금에서야 하는 말이지만, 그 콘서트로 이사들을 완전히 찍소리 못하게 만들

수 있었는데…… 김진호 그 사람이 일을 망쳐 놨죠."

"……."

강윤의 질겅이던 입이 느려졌다. 이현지도 씁쓸한 얼굴로 말을 이어갔다.

"이후에는 적임자가 없어서 흐지부지됐죠. 원 회장님이나 내 눈에 차는 사람이 없었거든요."

쌈을 싸서 김진경에게 넣어준 윤혜린이 다음 말을 받았다.

"이사들이 서로 MG 스테이지 하겠다고 싸워대는 통에 저흰 서보지도 못했어요."

치이익--

고기 굽는 소리가 요란하게 퍼져 갔다. 이현지는 손을 들었다.

"여기, 소주 두 병만 갖다 주세요."

술병이 더욱 늘어갔다. 디에스 멤버들과 강윤의 얼굴이 빨개졌다. 이현지의 목소리도 점점 간드러지게 얇아졌다.

고기 굽는 소리가 잦아들고, 바닥에 술병이 가득해졌다. 강윤이 술을 따라 주려다가 탁자 위에 올려놓자 김진경이 술병을 들어 자신의 잔에 따랐다.

"……사실, 저희…… 이용하는 것도…… 있어요. 단콘을 하기엔 소속사가 돈이…… 없거등여. 그래서- 묻어가능 거에여."

강윤은 상체를 비틀대며 의자에 기댔다.

"이 무대는 단콘하고 비교하기엔 그렇잖아. 오히려 방송무대하고 비슷할 텐데."

"방송 무대는 제한이 크잖아요. 근데 이건 저희가 하고 싶은 걸 많이 할 수 있잖아요. 특히 팀. 장. 님이라면."

윤혜린이 끼어들었다. 그녀의 눈가가 이글댔다. 강윤은 엉망이 된 머리를 가다듬고 있는 이현지에게 눈을 돌렸다.

"이사님은 어떻게 생각하십니까?"

"다들 하겠다고 해도 회장님이 못 하겠다면 못 하는 거죠. 하겠다면 하는 거고. 왜냐? 회장님이 된다면 '되는 거'니까. 그렇지, 얘들아?"

"예에에에~!!"

어느덧 세 여자의 얼굴에는 취기가 진하게 올라 있었다. 반면 강윤은 술을 적당히 조절해서 정신은 멀쩡했다. 이현지는 강윤을 흘겨보더니 웃음을 흘렸다.

"이젠 도장을 찍을 때예요."

"도장이라니요."

"후후. 빅 이벤트. 월드가…… 짱이라는 빅 이벤트으, 흐흐. 크게 보여줘야죠. 솔직히, 나…… 하고 싶어요. 이 콘서트으."

"……."

지금까지 이현지가 해보고 싶다고 말한 적은 없었다. 그녀의 말은 다른 가수의 말보다도 강하게 박혀왔다.

어느덧 파할 시간이 되었다. 강윤은 카드를 들고 자리에서 일어났다. 그때, 이현지가 강윤의 어깨에 팔을 걸치고 그윽히 웃었다.

"2차, 2차 가요."

이현지는 그대로 카운터로 직진하곤 계산까지 마쳤다. 순식간에 벌어진 일이었다. 강윤이 자신이 하겠다며 실랑이를 벌였지만 이현지의 날 선 눈과 마주할 뿐이었다.

강윤은 짧게 한숨을 내쉬곤 테이블로 눈을 돌렸다. 이미 바닥에 소주병이 수북이 쌓여 있었다.

'자기들이 계산한다 해놓고는.'

피식 웃은 강윤은 디에스 매니저를 호출했다. 멀지 않은 곳에 있던 매니저가 와서 두 사람을 실어갔다. 이어 대리기사가 왔고, 강윤은 이현지를 뒷좌석에 태우곤 앞 좌석에 올랐다.

'뭐, 내일은 휴일이니까.'

뒷좌석에 널브러진 이현지를 바라보며 강윤은 웃음을 흘렸다.

차는 금방 이현지의 집에 도착했다. 이사의 술 취한 모습을 차마 엔티엔 연습생들에게 보여줄 수는 없었다. 강윤은 대리비를 계산하고는 이현지를 등에 업었다.

"……2…… 0."

이현지의 비실대는 목소리에 따라 비밀번호를 누르고, 집 안에 입성했다. 현관문을 닫고 이현지의 방을 찾는데 귀를 찢는 비명이 들려왔다.

"꺄아아아아아아아아아아아아아아아아악------!!!"

놀라서 고개를 드니 수건으로 나신을 가린 민진서가 있었다. 큰 눈이 더더욱 커진 그녀는 곁에 있던 물병을 집어 던지려고 했다.

강윤은 놀라 손을 들었다.

"지, 진정해!! 진서야, 나야."

"……서, 선생님. 이게 어떻게 된 거예요?"

민진서를 달래고 이현지를 침대에 눕히고 나서야 강윤은 허리를 폈다. 소파에 앉아 한숨을 돌리는데 민진서가 숙취 해소 음료를 가져왔다. 강윤은 단번에 마셔 버리곤 소파에 힘없이 늘어져 버렸다.

"……고마워. 이사님은?"

"옷 갈아입혔어요. 그런데 어떻게 된 거예요?"

민진서는 드물게 가자미눈을 뜨고 강윤 옆에 앉았다. 무릎을 모아 팔 사이에 낀 자세가 묘했다. 강윤은 그녀에게 기대고는 자초지종을 이야기했다.

디에스를 만났다는 이야기를 듣곤 민진서의 얼굴에 반가움과 아쉬움이 교차했다.

"재밌었겠다. 디에스 언니들도 고생 많이 했었는데…… 다음엔 저도 끼워주세요."

"알았어."

"아, 그런데 콘서트 말이에요. 하실 거예요?"

강윤은 소파에 길게 누워 눈을 감았다. 바닥에 앉은 민진서의 손이 그의 얼굴을 부드럽게 스쳐 갔다.

"아무래도…… 아, 진서는 잘 모르겠다고 했었지? 왜 그랬어?"

"전 선생님이 좋다면 좋으니까요."

강윤은 말없이 그녀의 머리칼을 부드럽게 쓸어내렸다. 편안하면서 따뜻했다.

♪♫♩♬♪

술자리가 있고 그다음 날.

이현지는 깨질 듯이 울리는 머리를 붙잡고 힘겹게 몸을 일으켰다.

"뭐, 뭐야. 으으……."

커튼 사이로 비치는 햇살 때문에 눈이 부셨다. 눈을 찡그리며 시계를 보니 10시를 가리키고 있었다. 눈이 커졌다.

"여, 열 시?!"

얼굴에 대충 물을 묻히고, 얼굴에 파우더만 찍어 바른 후, 차에 올랐다. 속도계가 100㎞/h에 육박할 정도로 내달렸다. 한산한 도로에 라디오도 평소에 듣던 것과 달랐지만 생각할 겨를이 없었다.

회사에 도착해 자신의 방으로 가려는데 복도에서 오랜만에 보는 얼굴과 마주쳤다.

"최 팀장님? 아니, 베이징에 계실 시간 아닌가요?"

"이사님, 오랜만입니다. 어제 귀국했지요. 말씀 안 드렸던가요? 토요일에 잠깐 들어온다고 보고드렸는데……."

그제야 이현지의 머릿속에 불이 켜졌다. 오늘은 토요일이었다. 한 달에 거의 없다시피 한 휴일이었다.

머릿속이 하얗게 되어가는데 익숙한 목소리가 들려왔다.

"이사님? 몸은 괜찮으십니까? 오늘 쉬는 날로 알고 있었는데요."

"아, 그, 그게 말이죠. 하하하……."

어색한 웃음을 흘리다가 창가에 비치는 자신의 모습을 보고 말았다. 솟아오른 머리에 뜬 화장, 대충 구겨 넣은 허리춤에 비뚤어진 치마까지…….

"자, 잠깐 실례할게요."

이현지는 다급하게 화장실로 달려갔다. 강윤과 최경호는 웃음을 흘리며 어깨를 으쓱였다.

"회장님, 이사님도 가끔 귀여울 때가 있군요."

"가끔 저럽니다, 아주 가끔."

두 사람은 회장실로 들어섰다. 강윤은 이준열에게 받은 기획안을 최경호에게 건넸다. 최경호가 기획안을 검토하고 있을 때 수습을 마치고 온 이현지가 들어섰다. 그녀는 조신하게 최경호의 맞은편에 앉았다.

기획안을 내려놓고 최경호는 의견을 이야기했다.

"살을 좀 더 덧대야 할 것 같지만 허황된 기획은 아닌 것 같습니다."

"올 10월에 하는 걸로 진행해 볼까 합니다."

강윤의 말에 최경호의 눈이 커다래졌다. 이현지도 입을 크게 벌린 채 강윤을 바라보았다.

곧 평정을 되찾은 최경호가 헛기침을 하곤 답했다.

"……흠, 마치 예전의 MG 스테이지가 떠오르는 기획안입니다. 10월이라면, 시간은 충분하다고 생각합니다. 문제라면 자금이겠군요. 첫 회니까 힘을 바짝 줘야 할 겁니다."

"예산은 얼마나 필요할까요?"

이현지의 물음에 최경호는 잠시 생각하곤 답했다.

"중국 합동 콘서트의 3배에서 4배 정도는 필요할 것 같습니다."

"만만치 않군요."

강윤이 심각한 얼굴로 팔짱을 낄 때 평정을 되찾은 이현지가 물었다.

"클래식에서 단독으로 소화할 수 있나요?"

"현재 맡은 모든 일을 중단하고 집중하면 가능합니다. 그 기간 동안은 다른 일은 병행하기 힘들겠지만요."

"다른 회사들에 의뢰하는 것도 생각해 봐야겠네요."

최경호는 자세하게 기획안을 작성해서 오겠다고 이야기하곤 회장실을 나섰다.

이현지가 눈매를 좁히며 물었다.

"진짜로…… MG 스테이지를 하는 건가요?

"MG 스테이지가 아닙니다. 우리에게 맞는 이름을 정해야죠. 이사님이 하나 정해주셨으면 합니다."

"아, 그렇지. 알겠어요."

들뜬 얼굴로 이현지는 회장실을 나섰다.

♪♫♪♩♫♬♩♪

토요일 오후.

일을 마무리한 강윤은 외투를 걸치고 사무실을 나설 준비를 했다. 그때, 전화기가 울렸다. 버튼을 누르니 문 비서의 목소리가 들려왔다.

—회장님, 이츠파인 서버 점검이 완료됐습니다. 전형택 상무님이 오셔서 기다리고 계십니다.

곧 전형택 상무가 들어섰다. 전형택 상무는 책상 위에 서류를 올려놓았다. 문 비서가 차와 다과를 내왔고 강윤은 전형택 상무에게 자리를 권했다.

보고서를 읽는 강윤의 표정이 어두워졌다.

"……서버에 쓰인 부품들은 그대로군요."

강윤의 얼굴이 일그러지자 전형택 상무는 고개를 숙였다.

"부품을 바꾸지 않아도 해결할 수 있다는 결론이 났습니다. 앞으로는 같은 일이 일어나지 않을 겁니다."

강윤이 여전히 자신을 노려보자 전형택 상무는 잠시 머뭇거리다 힘겹게 말을 이어갔다.

"아, 앞으로 두 달 동안 전 직원들이 비상 체제에 들어갈 겁니다. 문제가 생기면 바로 조치하도록……."

"애초에 문제가 생기지 않도록 하는 게 우선이라고 생각합니다만."

"그, 그렇죠."

강윤은 보고서를 내려놓았다.

"분명히 말씀드립니다. 지금 같은 문제가 계속 발생하면 저희도 다른 방법을 생각할 수밖에 없습니다."

"회장님, 드리기 어려운 말씀이지만 서버와 장비는 파인스톡에서 전적으로 관리하기로 되어 있습니다."

"알고 있습니다."

"……."

전형택 상무는 찻잔을 내려놓았다. 온기마저 느껴지지 않았다.

강윤은 담담히 말을 이어갔다.

“서버가 안정화됐으니 홍보팀을 동원해서 여론을 진정시키겠습니다. 보상책도 진행해 주십시오.”

“알겠습니다.”

보고를 마친 전형택 상무는 자리에서 일어났다. 문을 나서려다가 그는 강윤을 돌아보았다.

“만약…… 또 같은 일이 벌어지면 어떻게 하실 생각이십니까?”

“같은 일이 두 번 다시 벌어지지 않게 할 겁니다.”

전형택 상무는 싸늘한 기운을 느끼며 문을 나섰다.

강윤은 바로 이츠파인에 접속했다. 홈페이지는 물론이고 프로그램 등 모든 사이트가 잘 접속됐다. 다만, 게시판은 불만 글들로 가득했다.

—제발 아프지 마라.

—또 아프면 환불 요청할 거임.

—싼 게 비지떡이란 생각 안 들게 해줬으면…….

얼마 지나지 않아 사과문이 게재됐다. 중지 기간에 맞춰 보상도 주어졌다. 월드 스튜디오 가수들의 음원까지 증정하며 사과를 하니 불만이 조금씩 잦아들었다.

이틀 후, 월요일 6시 15분. 한 주가 시작되는 날이었다.

"늦었다, 늦었어."

인천에서 강남에 있는 직장까지 출근해야 하는 정한나는 하이힐을 신고 출근길에 나섰다. 평소처럼 급행열차에 올라 신도림역에 도착했다. 좁은 계단에서 사람들 틈에 섞여 내려가려니 표정이 점점 어두워져 갔다.

'……아, 짜증 나.'

힘겹게 2호선 승강장에 선 그녀는 평소처럼 자연스럽게 이어폰을 꺼내 귀에 꽂았다. 자연스럽게 음악 앱 '이츠파인'을 켰다.

'뭐야? 또 안 돼?'

프로그램이 켜졌다가 바로 종료됐다. 몇 번이나 반복했지만 결과는 마찬가지였다. 지하철 자리 경쟁에서도 패배하자 짜증은 배가 되었다. 이 와중에 이놈의 앱을 계속 다운됐다. 프로그램을 지우고 다시 깔아도 봤지만 해결되지 않았다.

"또 이러네? 아, 짜증 나!!"

그녀는 결국 이어폰을 거칠게 가방에 넣어버렸다. 짜증과 함께 한 주를 시작해야 했다.

이 이야기는 SNS를 타고 인터넷에 퍼져 나갔다.

아침부터 터진 접속 문제로 이츠파인 상담실은 종일 불만 전화로 폭발 일보직전이었다.

이 문제는 긴급으로 전형택 상무에게까지 전달되었다.

"서버 관리 똑바로 하지 뭐 했어들?!"

전형택 상무는 직원들을 질책했다. 직원들도 불만이 가득했다.

'누가 싸제 쓰랬나?'

'쌈마이 짓거리는 지들이 하고 왜 우리한테 지랄이야?'

서버 문제가 자꾸 생기는 원인이 뭔지 모두 알고 있었다.

하세연 사장도 보고를 듣곤 머리를 감싸 쥐었다.

"역시, 또……."

"일단, 월드 쪽부터 어떻게 해야 합니다. 당장 이강윤 회장이 가만히 있지 않을 겁니다."

전형택 부장의 말에 하세연 사장은 고개를 저었다.

"그쪽도 진짜 원인이 뭔지는 알고 있을 거예요. 우리 뒤에 있는 투자자들 말이죠."

"……."

전형택 상무는 침묵했다. 동일한 지분이니 기선을 잡으려는 의도였다. 투자자 입장에서는 이츠파인이야 조금은 망가져도 괜찮다는 입장이었다.

하세연 사장은 긴 한숨을 내쉬었다.

"그놈의 투자만 아니었어도…… 그딴 싸구려 부품에 놀아나고 싶진 않았는데."

같은 시간.

출근 시간의 서버 다운은 강윤의 귀에도 들어갔다. 보고를 듣자마자 강윤의 안색은 굳어졌다.

"……이대론 안 되겠습니다."

아침 회의를 위해 왔던 이현지는 강윤을 붙잡았다.

"회장님, 흥분해서는 해결이 되지 않아요. 좀 더 차분하게……."

"이 판도로는 아무것도 해결할 수 없습니다."

이현지는 강윤의 팔을 붙잡아 자리에 앉혔다.

"회장님, 진정하세요. 저쪽 속셈이 보이지 않나요? 다 회장님을 격동시켜서 테이블로 오게 만들려는 수법이잖아요."

"……."

강윤의 눈이 흔들렸다. 이미 투자자들의 속셈이야 알고 있었다. 알고도 당할 수밖에 없다는 게 속이 상했다. 입가를 파르르 떨다가 앞에 있던 물을 벌컥벌컥 마셨다. 찬 기운이 들어가자 마음이 조금은 가라앉았다.

맞은편에 앉은 이현지는 차분히 말했다.

"일단 하나하나 수습해요. 홍보팀이 움직이고 있으니까……."

"……그런 방법으론 안 될 겁니다."

"회장님."

강윤은 자리에서 일어났다.

"계속 끌려다닐 수는 없습니다. 판을 새로 짜야 합니다."

"새로 짠다? 어떻게요?"

강윤이 방법을 설명하자 이현지의 얼굴이 경악으로 물들어 갔다.

찻집은 평소처럼 콘트라베이스 연주와 피아노 소리가 흘

렀다. 이한서는 평소처럼 차를 내리며 홀을 바라보고 있었다. 붐비진 않았지만 이젠 이름이 알려진 탓에 유명인들이 눈에 띄었다.

'잘돼야 할 텐데.'

그의 눈은 구석진 창가에 있는 원진표와 주아에게로 향해 있었다. 은은한 음악과 달리 두 사람의 분위기는 묵직했다. 테이블에 놓인 찻잔에서 김만이 무심히 피어오를 뿐이었다.

먼저 분위기를 깬 건 주아였다.

"솔직히 파트너로서 원 사장님을 믿기 힘들다는 건 알고 있죠?"

"알아."

원진표는 담담했다. 주아의 직설적인 화법은 이젠 익숙했다.

그녀는 팔짱을 낀 채 고개를 들었다.

"좋아요. 당장 도장을 찍긴 힘들고, 조건이 있어요."

"조건?"

"제가 믿을 수 있게. 만족할 만한 성과를 보여줘요. 기간은 한 달. 대신 저도 다른 곳과 계약하지 않고 기다리고 있을게요."

주아는 더 할 말은 없다며 자리에서 일어났다. 입구에서 이한서와 마주했다.

"차 싫다니까요. 다음엔 커피로 줘요."

주아가 나간 후 이한서는 원진표와 마주 앉았다.

"주아가 뭐라고 하던가요?"

"한 달간 기다려 주겠다고 하더군요. 만족할 만한 성과를 가져오라네요."

원진표는 얼굴을 폈다. 당장 기회를 얻진 못했지만 희망은 마련한 셈이었다.

이한서가 말했다.

"필요하면 말씀하십시오. 제가……."

"아니요. 이건 제 스스로 해야 할 일입니다. 주아가 만족할 만한 성과라……."

원진표가 고민에 빠진 얼굴을 보며 이한서는 부드럽게 웃었다.

월요일에 일어난 서버 문제는 오후가 되어서야 정상으로 돌아왔다.

같은 형식으로 문제가 반복되자 사람들은 더 이상 참지 않았다. 이츠파인 게시판은 이미 폭주하는 민원으로 점령당한 지 오래였고 파인스톡, 월드 게시판에 이르기까지 모든 게시판이 마비 상태에 이르렀다.

기회를 엿보던 음원 사이트들은 이벤트까지 벌여 이츠파인에서 이탈하려는 회원들을 끌어들였다. 손실이 점점 커지고 있었다.

월요일, 저녁.

강윤과 이현지는 와인바에 있었다. 신사동의 가로수길에

위치한 분위기로 유명한 와인바였다. 어둑하면서 은은한 조명 아래 세이스의 사장, 한태진이 있었다.

간단히 인사를 마친 후, 한태진 사장은 활발히 대화를 주도해 나갔다.

"생각해 보니 제가 너무 취향대로 모신 게 아닌가 싶네요."

"아닙니다. 숨겨진 명소를 알게 돼서 좋습니다."

강윤은 웃으며 맞장구를 쳤다.

와인바를 통째로 빌려 주변에는 아무도 없었다. 투명한 빛이 도는 와인과 자줏빛이 도는 와인을 따라 가볍게 부딪혔다.

메인 디시가 나오며 이야기도 근황에서 주제로 나아갔다. 먼저 입을 연 사람은 한태진 사장이었다.

"정민아 쇼케이스 때 정말 좋았습니다. 설마 이 아이템이 통할까, 반신반의했었는데 말이죠. 덕분에 새로운 아이템을 얻었습니다. 진작 인사드렸어야 했는데……."

"옛날이야기는 괜찮습니다. 저흰 앞으로의 이야기를 하려고 온 거니까요."

이현지는 손을 저었다. 옛날이야기를 하면 월드를 저버리고 MG와 손잡았던 이야기까지 나올 게 뻔했다.

한태진 사장은 쓰게 웃었다. 마음 한쪽이 시큰했다.

'보통내기들이 아니군.'

세이스가 월드를 저버리고 MG와 손잡은 통에 월드는 자칫 프로젝트를 접을 뻔했었다. 이런 과거를 집고 가지 않겠다니 부담됐다.

강윤이 말했다.

"보내드린 내용은 생각해 보셨습니까?"

와인잔을 내려놓은 한태진 사장은 콧잔등을 문질렀다.

"지분 인수라……. 솔직히 말씀드리겠습니다. 한 달 전까지만 해도 흥미가 동하는 제안이었을 겁니다만, 지금은…… 흥미가 동하지 않습니다. 음원 사이트라는 게 신뢰 얻기는 어렵지만 잃기는 쉽죠."

이현지가 입꼬리를 올리며 답했다.

"맞아요. 지금 이츠파인은 생각만큼 매력적이진 않죠."

"씁쓸합니다. 1위까지 넘보던 이츠파인이 이렇게까지 될 줄은……."

한태진 사장은 자줏빛 와인을 찰랑였다. 보여줄 게 있으면 더 보여달라는 압박이었다. 물끄러미 그를 바라보던 강윤은 포크를 내려놓았다.

"저희 지분 20%를 사십시오."

"그렇게 해서 저희가 얻을 건 뭐죠?"

"동남아 진출 시, 모든 월드 연예인의 웹 홍보를 세이스를 통해서 하겠습니다."

한태진 사장은 와인잔을 내려놓고 강윤을 바라보았다.

"그 말은, 파인스톡과 맺었던 계약들을 끊겠다는 말로 들립니다만."

"파인스톡이 선점한 동남아에서 연예인을 앞세워 홍보한다면 충분히 홍보 효과가 있을 거라고 생각합니다만."

"……."

한태진 사장의 미간이 좁아졌다.

동남아는 가능성이 큰 시장이었다. 파인스톡도 성장할 때, 월드의 연예인들을 앞세워서 큰 재미를 봤었다.

'재미있군.'

과거를 탓하지 않고 오히려 꿀을 들이대다니.

잠시 생각하던 한태진 사장은 표정을 굳히곤 되물었다.

"정리하면 월드가 가진 이츠파인 지분 20%를 인수하라는 겁니까?"

이현지가 답했다.

"거기에 신설 서버 투자, 관리를 추가하면 됩니다."

"서버 투자에 관리까지. 파인스톡 서버 관리는 수준급인데…… 흠."

파인스톡이 관리하는 서버가 심각하다고 들었다. 중국 회사에서 서버를 사들인 후, 문제가 끊이지 않는다고. 문제를 해결하려고 해도 계약과 투자자들의 입김에 쉽지 않다고 들어왔다.

이어 강윤이 말했다.

"지금 벌어진 사태는 기우에 지나지 않습니다. 대대적인 수술이 필요합니다."

"잠깐. 설마, 이 회장님."

하태진 사장의 눈이 왕방울만 해졌다. 강윤은 고개를 끄덕였다.

"단도직입적으로 말씀드리겠습니다. 함께 이츠파인을 새로 시작해 보지 않겠습니까?"

한태진 사장은 강윤을 바라보며 와인잔을 빙글빙글 돌렸다.

"이츠파인 지분 20% 인수라……. 이전투구로 뛰어들라는 말이 새로운 시작으로 포장된 것 같군요."

한태진 사장은 웃으면서 거부감을 드러냈다. 이현지는 강윤의 귓가에 속삭였다.

'다른 안을 내놔야 할 것 같아요.'

강윤도 고개를 끄덕였다. 이현지는 다시 의자에 몸을 기댔다.

짠.

와인잔 부딪히는 소리가 다시 퍼져 갔다. 한태진 사장은 여유롭게 미소 지으며 와인을 입가에 가져갔다. 와인을 넘기며 눈가로는 강윤을 지긋이 바라보고 있었다.

잠시 고민하던 강윤은 눈빛을 가라앉혔다.

"월드와 세이스 뮤직의 음악 제휴. 이건 어떻습니까?"

"……호오."

그제야 한태진 사장의 눈가에 흥미가 일었다.

"흥미롭군요. 이츠파인은 월드의 음원 사이트라는 인식이 강하니까…… 월드가 세이스 뮤직에 참여한다면 논란이 생길 수도 있는데 어떻게 하실 생각인지요? 법정공방에 시달리는 건 흐음……."

"그건 저희가 해결할 문제입니다. 세이스 뮤직 입장에서 보면 기회 아닌가요? 인지도 면에서는…… 언급하기도 슬퍼지는군요."

이현지가 끼어들자 한태진 사장의 시선이 돌아갔다. 그는 잠시 그녀를 바라보다 피식 웃었다.

"뭐, 맞는 말씀입니다. 서비스한 지 2년이 다 돼가지만…… 적자만 누적되고 있어서 조만간 정리할 생각입니다. 이츠파인과는 맞지 않을 겁니다."

웃음이 틀어졌다. 기분이 상한 게 분명했다. 이현지가 대꾸하려는데 강윤이 먼저 나섰다.

"불필요한 소모전은 여기까지 하는 게 좋겠습니다."

슬슬 결정을 해달라는 압박이었다. 한태진 사장은 잔을 놓고 고민에 빠졌다.

'월드의 참여는 여러모로 이득이야. 세이스 뮤직을 키울 수도 있고. 천천히 생각하자. 시간을 끌수록 속이 타는 건 월드니까.'

지금 급한 건 월드였다. 세이스 뮤직이야 항상 그대로였으니까.

그의 생각을 아는지 모르는지 이현지는 몸을 뒤로 기대며 태연히 말했다.

"65 대 35. 투자금 비율은 이 정도면 충분하다고 생각합니다만. 지분은 60 대 40."

"크흠, 흠."

한태진 사장은 헛기침을 늘어놓았다. 상대가 처음부터 후하게 나오니 당황스럽기까지 했다. 이미 이야기가 된 사항이었는지 강윤도 잠잠했다.

멈칫하던 한태진 사장은 잔을 들었다. 세 사람이 잔을 부딪치는 소리가 다시 퍼져 갔다. 와인을 한 모금 넘긴 후, 한태진 사장은 답했다.

"좋습니다. 받아들이죠."

"감사합니다."

강윤이 웃으며 잔을 내려놓을 때, 한태진 사장이 손을 들었다.

"대신, 한 가지 조건을 추가하고 싶습니다."

"말씀하십시오."

강윤이 자세를 바로 하자 한태진 사장은 잠시 뜸을 들이다 한 단어를 내뱉었다.

"……튠."

"튠?"

"현재 월드는 세이스 영상을 홍보 수단으로 이용하지 않는 걸로 압니다. 앞으로 홍보의 50%를 세이스 영상으로 바꿔주십시오."

강윤과 이현지는 멈칫했다. 50%는 낮은 비율이 아니었다. 이현지는 앞으로 나서며 답했다.

"……쉽지 않은 제안이네요. 세이스 영상은 썩 반응이 좋지 않은데."

"일단, 사장이니까요."

한태진 사장은 어깨를 으쓱였다. 이현지는 강윤의 귓가에 속삭였다.

'세이스 TV는 사람이 많이 이용하지 않는 매체예요. 튠을 모태로 만들었는데, 화질도 좋지 않고 광고도 길거든요.'

강윤은 안색을 굳히며 팔짱을 끼었다. 한태진 사장은 능글능글한 표정으로 강윤을 바라보았다. 잠시 고민하던 강윤은 담담히 그와 눈을 마주했다.

"……좋습니다."

"회장님."

이현지가 만류하는 가운데 한태진 사장도 의외라고 느꼈는지 눈을 동그랗게 떴다.

"흠, 정말…… 이십니까?"

"월드의 모든 연예인이 올리는 사적인 영상들은 세이스 영상을 이용하겠습니다."

"그거, 혹시 파인스톡 영상에서 이용하던……."

한태진 사장의 물음에 강윤은 고개를 끄덕였다. 그 말인즉슨, 완전히 파인스톡과의 관계를 끊겠다는 말과 다름없었으니까. 한태진 사장은 되레 당황했다. 자꾸 저쪽은 더 큰 걸 내주고 있었다.

강윤이 말했다.

"대신 저희도 조건이 있습니다."

"말씀하십시오."

"세이스 영상의 화질을 튜 이상으로 끌어올릴 것, 광고 시간을 지금의 절반 정도로 줄일 것."

"기술적인 문제는…… 알겠습니다. 그거야 투자만 하면 개선되는 거니까요."

이쯤 되니 무서워졌다. 협상을 잘한 것 같긴 한데 끌려가는 느낌이었다.

'남는 장사를 한 것 같은데, 어째 찝찝하단 말이지.'

자신을 바라보는 강윤을 보니 마음 한구석이 찜찜했다. 이렇게까지 퍼주진 않을 것이다. 잠시 생각하던 한태진 사장은 강윤에게 물었다.

"하나만 묻겠습니다."

"말씀하십시오."

"전 사업가입니다. 이익 없는 거래는 그리 좋아하지 않죠. 그런데 이런 식의 거래는 월드에 전혀 남는 게 없어 보입니다만……."

적이 걱정을 해주는 꼴이었다. 강윤은 씨익 웃었다.

"이렇게 하면 이전과 같은 꼴을 당하지 않을 것 같달까요?"

"아……."

머리를 거세게 얻어맞은 느낌이었다. 과거 에디오스와의 계약 건을 일방적으로 파기한 이야기였다. 사내의 이사가 저지른 일이었지만 그 일은 기업 평판에 영향을 미쳤다. 선심성 밑밥이었다. 그렇다고 거부하기엔 조건이 너무 좋았다.

이전과 같은 일이 또 벌어진다면 세이스의 평판은 최악으로 치달을 것이다.

이쯤이면 됐다고 느낀 이현지는 가방에서 서류를 꺼냈다.

"이만하면 대화는 충분히 한 것 같네요."

한태진 사장은 윗주머니에 꽂혀 있던 만년필을 꺼냈다. 계약서를 살피고 사인을 하려다가 의문이 든 그는 고개를 들어 두 사람을 바라보았다.

"잠깐. 순조롭게 진행되면 좋겠지만 파인스톡이 가만히

있을 리가 없을 텐데, 어떻게 할 생각입니까?"

이현지가 와인잔을 들고 싸늘하게 웃었다.

"눈 뜨고 코 베였다는 이야기, 들어보셨어요?"

이어지는 설명을 듣고 계약서를 살핀 후 한태진 사장은 조용히 사인을 했다.

이츠파인의 서버 다운 사태는 최악으로 치닫고 있었다.

파인스톡은 비상 체제로 서버를 관리했지만 서버는 3일에 한 번꼴로 에러를 일으켰다.

서버 대란은 2주를 넘어 한 달을 훌쩍 넘겼다. 제때 복구하지 못한 후유증으로 1~2위를 다투던 이츠파인은 확실한 업계 3위로 추락했다.

이런 상황은 전형택 상무를 거쳐 하세연 사장에게까지 보고되었다.

"……사태가 지속되면 더 버틸 수 없습니다. 적자야 월드에서 지원한 자금으로 어떻게든 메울 수 있다지만…… 한번 잃은 신뢰를 회복하는 데는 많은 시간이 걸릴 겁니다."

하세연 사장은 보고서를 내려놓았다. 회원 수를 나타내는 보고서는 오른쪽 아래로 급격하게 하락하고 있었다. 손해액은 치솟고 있었다. 말없이 보고서를 바라보던 그녀는 입술을 깨물었다.

"……일주일만 기다리죠."

"이대로는 돌이킬 수 없는 사태가 벌어질 수도 있습니다."
"월드에서는 별다른 소식 없나요?"
전형택 상무가 고개를 끄덕이자 하세연 사장은 의문이 들었다. 절대 조용히 있을 월드가 아닌데 말이다.
의문을 품고 전형택 상무는 파인스톡을 나섰다.
'이상해.'
일주일 전까지만 해도 매일같이 닦달해 대던 이강윤이 감감무소식이었다. 매일같이 월드의 동향을 체크하던 투자자들조차도 보고를 하면 뚱한 반응이었다.
혹시나 해서 알아봤지만 두 그룹 모두 평소와 그리 다르지 않다는 보고뿐이었다.
사무실에 복귀했는데, 직원에게서 전화가 걸려왔다. 용건을 듣자 그의 표정이 굳어졌다.
"뭐? 백업 파일을? 금방 갈 테니까 기다리라고 해."
—계약서를 가지고 왔습니다. 계약서대로라면 거절할 명분이 없습니다.
"어떻게든 버텨. 누가 왔는데?"
—그게…… 이강윤 회장이 직접…….
전형택 상무는 눈을 감았다. 느낌이 좋지 않았다. 그동안 잠잠하다 싶었는데 이렇게 갑자기 쳐들어오다니.
급히 이츠파인 서버 관리실로 향했다. 도착하니 직원들이 허탈한 얼굴로 일을 하고 있었다.
"백업 파일은?"
"……죄송합니다. 어제 자정 일자 백업 파일부터 1년 전

데이터까지 모두 복사해 갔습니다."

"이유가 뭐래?"

직원은 고개를 저었다. 하긴, 회장에게 이유를 물어볼 간 큰 직원이 누가 있겠는가.

홀로 생각하는데 전형택 상무의 안색이 어두워졌다.

'잠깐만. 설마…….'

월드 단독으로 이츠파인을 오픈하려는 것일 수도 있었다. 그가 아는 이강윤이라면 그런 행동을 하고도 남을 사람이었다.

지잉지잉--

주머니에 넣어둔 전화가 울렸다. 확인해 보니 강윤이었다.

"회장님, 무슨 일이십니까? 백업 파일을 가져가셨다고 들었습니다."

-그동안 고생 많았습니다. 월드는 이쯤에서 이츠파인에서 손을 떼겠습니다.

"네?"

엉뚱한 답. 이상한 생각이 들 겨를도 없었다. 전화에서 짧은 한숨이 흘러나왔다.

-7조 1항. 심각한 귀책사유가 있으면 한쪽이 계약을 해지할 수 있다는 조항, 기억하십니까?

"그거야…… 하지만 서버는 곧 정상으로 돌아갈 겁니다. 이렇게 손을 떼버리면 월드도 손해가 만만치 않을 텐데요. 가장 큰 지분을 보유한 회사잖습니까. 좀 더 침착하게……."

-곧 대주주가 찾아갈 겁니다. 이만 끊죠.

알 수 없는 말을 끝으로 전화가 끊어졌다. 전형택 상무는 재차 전화를 걸었지만 상대는 전혀 응답이 없었다.

얼마 지나지 않아 사람이 왔다. 이츠파인에 투자한 복타이에서 보낸 투자자들과 통역이었다.

"안녕하십니까. 갑자기 무슨 일로……."

전형택 상무가 막 아는 척을 하려는데 통역을 통해 날 선 눈매의 투자가가 말했다.

[아직도 서버가 말썽이라 들었습니다.]

"솔직히 말씀드리겠습니다. 그 회사 부품으로는 도저히……."

[바꿉시다.]

전형택 상무는 귀를 의심했다.

"네?"

[안 맞는다면서요? 그러면 원래 쓰던 걸로 교체해야죠. 그리고 내일 대주주 회의 소집이니까 참석하시고요.]

투자자들은 할 말을 마치고 자리에서 일어났다. 전형택 상무는 막 나서려는 그들을 붙잡았다.

"대주주? 소집? 무슨 말씀이십니까? 아직 정기 주주총회는 꽤 남은 걸로 알고 있습니다만."

[아직 못 들었군요. 간단하게 설명하죠. 월드가 가진 이츠파인의 지분, 50% 전량을 복타이에서 인수했어요.]

전형택 상무의 눈이 휘둥그레졌다. 그들이 이츠파인의 경영권자가 되었다는 뜻이었다. 날 선 눈의 투자자가 말했다.

[아, 상무님은 미리 안건을 알아야겠군요. 내일 의제는 그동안의

보상건과 음원 배분 비율 정상화입니다. 대충, 40%까지는 올릴 생각이니까…….]

전형택 상무의 머리는 아득해졌다. 이츠파인의 모든 것이 뿌리부터 흔들리고 있었다.

'아주 미쳐 돌아가네.'

음원 배분 비율이 다른 음원 사이트보다 적은 건 이츠파인의 핵심이었다. 유통사가 이익을 덜 가져가는 대신 가수와 제작자에게 더 나눠 줬기에 이츠파인에 양질의 서비스가 공급된 건데 핵심을 버리겠다니.

그래도 까라면 까야 하는 법. 직장인은 어쩔 수 없었다. 급히 서버 부품들을 공수하고 하루 만에 복구를 마쳤다. 이츠파인은 완전히 정상으로 돌아왔다. 보상안도 마련했다. 하지만…….

–겨우 3일 이용권? 장난하냐?

–한 달 동안 애태우고, 3일 꼴랑 보상해 주냐? 이츠파인 돌았냐?

–배가 불렀네, 불렀어. 난 갈아탄다.

빈약한 보상안이 또 분노를 불러왔다. 이전과 같이 호의적이던 여론은 온데간데없었다. 시간이 지나면 가라앉을 거라고 위로하는 수밖에 없었다.

그렇게 일주일이 지났다. 이번에는 다른 곳에서 누수가 일어났다.

"40%로 올린다고? 다른 음원 사이트하고 차이가 거의 없잖아?"

"사람들 나갔다고 손실을 이렇게 메우는 거임?"

"월드가 손 떼니 아주 엉망진창이네."

30%대였던 유통사 비율을 40%로 올린다 하니 가수와 제작자들은 난리가 났다. 손실을 우리한테서 메우려는 행태냐며 분노를 감추지 못했다. 중간에서 전형택 상무는 조율을 하려고 애썼지만 바뀌는 정책까지 막을 수는 없었다.

"젠장……."

지금까지 이츠파인을 키워온 그로서는 미칠 지경이었다. 일할 맛도 나지 않았다.

서류를 펼쳐 놓은 채 넋을 놓고 있는데, 비서가 퀵이 도착했다는 것을 알렸다. 확인해 보니 월드 스튜디오에서 보낸 서류 봉투였다. 싸한 느낌에 급히 봉투를 뜯었다.

「[월드-세이스 제휴 계약서]

세이스와 월드는 세이스 뮤직을 리뉴얼, 음원 사이트 '바다'를 오픈한다.

세이스는 '바다'의 서버와 사이트의 관리를 담당하며 이츠파인은 홍보와 가수 간의 계약, 공연 등을 담당한다.

……(중략)…….」

설상가상. 아득해지는 심정이었다. 지분을 모두 매각하고

파인스톡과의 모든 관계를 정리해 버린 월드는 세이스로 갈아타 버렸다. 이츠파인의 백업 파일까지 가져가 버리더니, 속셈이 이것이었다.

♪♫♩♪♫♬♩♪

바다.

새로운 음원 사이트가 탄생했다. 정확히 세이스 뮤직이 리뉴얼되었다. 월드와 세이스 뮤직의 합작이라는 형태로.

월드가 이츠파인과 결별하고 세이스 뮤직과 손잡았다는 소시에 대중들의 반응은 반반이었다.

–서버 먹튀보소.

–이츠파인처럼 세이스 뮤직 키운 다음에 팔아넘기는 건가?

–파인스톡 서버 관리에 질렸던 거 아님? 서버를 한 달씩이나 다운시켜 먹는 회사하고 어떻게 일함?

–월드 나가니 이츠파인 개판 됐음. 곧 가격 올린다는 소문이 무성함. 바다 일단 보자.

대중은 냉정했다. 어려워진 회사를 버리고 도망갔다는 말부터 월드가 나가자 이츠파인이 엉망이 되었다는 말 등, 여론은 반반이었다.

바다는 리뉴얼 이벤트는 하지 않았지만 파격적인 가격 정책을 내걸었다.

—미친, 이츠파인보다 더 싸?

—세이스 뮤직 음질 터짐. 아아…… 고막이 감격했다.

가격을 낮추고 음원 유통사 배분을 좀 더 낮췄다. 노골적인 정책이었지만 효과는 컸다. 이츠파인에 있던 고객들이 새로운 음원 사이트 바다로 넘어오기 시작했다.

"한 달 만에 이룬 성과라기엔…… 크군요."

오른쪽으로 치솟은 그래프를 보며 한태진 사장은 혀를 내둘렀다. 함께 보고서를 보던 강윤은 어깨를 으쓱였다.

"사람들과 가수들을 이어주는 것에 충실하면 이익은 저절로 따라옵니다."

"그것참, 누가 프로듀서 아니랄까 봐 그러십니까."

한태진 사장은 기분 좋은 타박을 했다. 세이스 뮤직 이야기만 들으면 머리가 아파왔는데, 한 달 만에 체질이 완전히 달라져 있었다. 그는 보고서를 비서에게 건네고 강윤에게 눈을 돌렸다.

"그나저나 이츠파인이 불쌍하게 됐습니다. 파인스톡도 그렇고…… 손실이 꽤 커 보이던데요."

"……과한 욕심이 불러온 참사죠."

강윤은 어깨를 으쓱였다. 이츠파인은 한 달 만에 회원 수가 3분의 1로 줄어들었다고 했다. 그 회원들을 고스란히 바다가 흡수했고. 이대로 가면 바다는 안정권에 들어갈 것이다.

한태진 사장이 말했다.

"아, 어제 지예 강시명 사장을 만났습니다. 흥미로운 이야기를 하더군요."

강윤이 바라보자 한태진 사장은 눈웃음을 지었다.

"조만간 콘서트를 한다고 하더군요. 그 뭐라고 하더라. MG에서 했던 콘서트 말입니다. 소속 가수들 전원이 출연하는 그……."

"MG 스테이지 말입니까?"

"맞아요. 그거일 겁니다. 저에게 그 이야길 하더군요. 투자 제안서까지 주더군요. 시기를 보니까…… 지난번에 말씀하셨던 콘서트 시기와 겹치는 것 같더군요."

이야기를 들을수록 강윤의 표정이 경직되어 갔다. 콘서트로 두 회사가 비슷한 시기에 맞닥뜨리게 된 것이다.

3화
파이널 스테이지, 그 시작

월드와 세이스가 음원 사이트 바다의 오픈을 준비하는 동안, 최경호도 콘서트 준비를 서두르고 있었다.

출연진은 이미 확정된 것이나 다름없어서 바로 장소 선정에 들어갔다. 문제는 이 과정이 생각보다 난항이라는 것. 일본, 중국에 이어 동남아까지 월드에서 손을 뻗친 곳이 워낙 많았기 때문이었다.

많은 이야기가 오갔고 내부 회의를 거쳐 최종 후보지는 도쿄와 서울, 두 곳으로 압축되었다.

"최종 선정은 애들에게 물어보고 결정하는 게 좋겠습니다."

강윤은 월드의 모든 소속 가수에게 공문을 돌렸다. 이준열과 디에스에게도 공문을 보내 의견을 구했다.

며칠 후, 문 비서는 강윤에게 모든 가수의 의견을 취합해서 가져왔다. 보고서를 보던 강윤의 미간이 일그러졌다.

"한국 셋, 일본 둘, 어디든 상관없다 둘이라."

애매한 숫자였다. 한국이 많기는 했지만 과반수를 넘지 않았기에 의견을 밀어붙이기가 애매했다.

에디오스나 인문희같이 일본에 진출해서 높은 성과를 거둔 적이 있던 가수들은 일본을 선호했고, 하얀달빛이나 김재훈같이 국내 활동에 힘을 쏟았던 가수들은 한국에서 콘서트를 하길 원했다. 디에스의 의견까지 곁들여져 한국이 3명이 되었다.

다수결로 장소를 결정하려 했던 강윤은 결국 클래식 측에 의견을 구했다.

클래식 내부에서도 다양한 의견이 오갔다. 소득을 생각해 도쿄로 하자는 의견과 최근 한국에서 나빠지고 있는 여론도 고려해야 한다는 의견이 맞섰다.

클래식에서도 결정하지 못하고 이 문제는 결국 전체 회의로까지 이어졌다.

"……수익성을 따져 보면 확실히 도쿄가 낫겠군요."

전면의 PPT 화면을 바라보던 강윤은 턱에 손을 올렸다. 맞은편에 앉은 이현지가 머리를 쓸어 넘기며 말했다.

"국내 여론도 무시할 순 없다고 생각해요. 우리 연예인들이 AHF 외의 방송에 출연하지 않게 된 이후로, 국내 팬들을 소홀히 하고 있다는 의견들이 조금씩 늘고 있는 추세죠. 이츠파인 문제까지 겹쳤으니…… 이젠 한국 여론을 다독여야 할 때라는 생각이 드네요."

최경호는 화면의 막대 그래프가 높이 올라간 부분을 레이저 포인트로 찍었다.

“월드 스튜디오에 방문하는 관광객 통계도 고려하셔야 할 것 같습니다. 최근 6개월간 한국인 방문객들이 줄어들고 있는 반면 일본인 방문객은 점점 늘어나고 있습니다.”

강윤은 잠시 생각하다가 의자를 바로 했다.

“서울에서 개최합시다.”

“일본 팬들이 서운해하지 않을까요?”

이현지의 물음에 강윤은 고개를 저었다.

“아무리 해외 시장이 넓어졌다지만 한국 시장을 놓치면 해외에서 뻗어 나갈 동력을 잃어버립니다. 일본 팬들에게는 여행사와 제휴해서 콘서트 투어 상품을 판매하는 방향으로 가는 게 어떻습니까?”

“그렇다면…… 그 일은 제가 해도 괜찮을까요?”

알아서 이현지가 나서주자 강윤은 마음이 한결 가벼워졌다. 그는 박수를 치며 분위기를 정리했다.

“클래식 측은 서울에서 공연장 섭외에 들어가 주십시오.”

“네, 회장님.”

“이사님은 여행사에 접촉하면서 스폰서도 같이 알아봐 주시고요.”

“알겠습니다.”

회의가 끝나고 조명이 밝아졌다.

사람들이 하나둘씩 나가는데 할 말이 있는지 최경호가 강윤에게 다가왔다. 자리를 정리하던 강윤은 그를 올려다봤다.

“하실 말씀이라도 있습니까?”

"별문제는 아닙니다만…… 최근에 소문을 듣고 다른 가수들이 접촉을 해오고 있습니다. 어떻게 할까요?"

월드가 콘서트를 연다는 소문이 업계에 퍼진 것이다. 이 바닥은 무척 좁다. 공연 기획에 관한 한, 강윤의 업적도 지대했으니 말할 필요도 없었다.

"답은 미루는 게 좋겠습니다. 어떤 공연을 해야 할지 감도 잡지 못했잖습니까. 거절은 마시고 확정되면 가부를 전해준다고 전하는 게 좋을 것 같습니다."

"알겠습니다, 회장님."

이야기를 마치고, 강윤은 회장실로 향했다. 회의가 길어져서일까. 의자에 앉는 폼이 영 힘이 없었다.

'……오늘은 특히 힘드네.'

책상 위에 쌓여 있는 서류들을 보며 강윤은 짧게 한숨을 내쉬었다. 담배 생각에 윗주머니를 만지작대는데 벨소리가 울렸다.

-회장님, 강기준 사장님 오셨습니다.

문 비서가 조심스레 문을 열자 얇은 외투를 입은 강기준이 들어섰다. 강윤은 그를 보더니 푸념했다.

"오늘따라 강 사장님 점퍼가 부러워집니다."

"하하하. 회장님."

강기준은 엄지손가락으로 밖을 가리켰다. 이심전심. 척하면 척이었다. 현장에서 뛰어다니던 사람을 사무실에 박아 넣었으니 몸이 쑤시지 않고 배기겠는가.

문 비서가 내온 믹스 커피의 달달함을 느끼며 강기준은 말했다.

“혹시 회장님, 저녁에 시간 괜찮으십니까?”

“…….”

강윤은 대답 대신 책상을 가리켰다. 얼굴까지 가릴 기세의 서류를 보고 강기준은 너털웃음을 짓다가 그에게 다가왔다.

“미리 말씀드리는데 일하러 가자는 겁니다. 오늘 도장 찍으러 가거든요.”

“아.”

강윤의 머릿속에 형광등이 켜졌다.

월드 C&C에서 꽤 오랫동안 스카우트할 배우를 물색하고 다녔다. 처음에는 신인을 찾고 있었지만 현재는 자리 잡은 배우로 방향을 틀었다. 오늘이 바로 그 결실을 맺는 날이었다.

“일이라니 가야죠. 엄연한 외근인데.”

강윤의 반짝이는 눈을 보며 강기준은 웃으며 손을 내밀었다. 짝 소리를 내며 강윤은 하이파이브를 했다.

그날 저녁.

두 사람은 종로에 위치한 한 프렌차이즈 카페로 향했다. 사람이 많은 곳에서 계약서를 쓰려는 이유가 뭔지 강윤은 의아했다.

“약속 장소를 왜 이런 곳으로 잡았나요?”

“혜미가 이곳에서 만나자고 했습니다. 전 소속사에게 꼭 보여주고 싶다고…….”

“전 소속사가 못나긴 했었죠. 일도 못 따오고 기사 대처도 못 했고."

강윤은 어깨를 으쓱였다.

카페가 유동 인구도 많은 사거리에 위치해 있어 안은 인산인해였다. 게다가 사람이 붐빌 저녁 시간 이후였다. 카페 안은 사람으로 가득했다.

두 사람이 카페에 들어서니 사람들이 창가의 여인을 힐끔 바라보며 수군대고 있었다.

'이혜미야, 이혜미.'

'혼자 왔나 봐. 남친 만나나 봐. 예쁘다아…….'

'존예…….'

사람들의 시선을 따라가니 약속 상대인 그녀가 있었다.

강윤도 아는 얼굴이었다. 강윤이 운전대라고 불리던 시절부터 중견 매니저로 성장할 때까지 함께했던 배우, 이혜미였다. 그녀는 강기준을 보고 손을 들었다.

"어? 이게 누구야? 강윤 오빠!!"

이혜미는 강기준과 함께 오는 강윤을 보더니 자리에서 벌떡 일어나더니 강윤을 가볍게 끌어안았다. 이혜미에 강윤까지 더해지자 시선이 더욱 쏠렸다.

사진을 찍는 사람들도 있었지만 그녀는 아랑곳하지 않았다. 강기준도 이혜미와의 계약을 알릴 생각이었기에 시선을 의식하지 않았다.

강기준이 커피를 주문하겠다며 잠시 자리를 비우자 이혜미는 강윤의 손을 꼭 잡으며 활짝 웃었다.

"대박 반가워. 근데…… 나 서운하다? 그때 8년 만에 봤는데도 다음에 어떻게 연락 한번 안 하냐?"

"바빴거든."

"바쁜 건 인정. 그래도 서운. 애인은 있고?"

갑작스럽게 훅 치고 들어왔지만 강윤은 차분히 답했다.

"노 코멘트."

"뭐야, 여전히 노잼이야."

"소속사 사장이 재미있어서 뭐 해. 일만 잘하면 됐지. 그나저나, 혜미도 많이 늙었네?"

"뭐야?!"

강윤이 웃으며 한 방을 먹였다. 이혜미의 톤이 급격하게 올라갔다.

두 사람이 해후를 풀 동안 강기준이 커피를 가져왔다. 주변이 시끌시끌한 가운데 본론이 나왔다. 강기준이 계약서를 꺼내자 이혜미는 펜을 꺼내 들다가 강윤을 지긋이 바라보았다.

"조건 하나만 추가해도 될까요?"

"어떤 조건?"

"강윤 오빠가 매니저 정해질 때까지만 내 매니저 해주는 거?"

강윤은 눈을 껌뻑였다. 말도 안 되는 요구가 당황스러울 법도 했지만 강기준은 차분히 답했다.

"어려운 부탁이네. 회장님 찾는 사람이 워낙 많아서……."

"까짓것 쿨하게 계약금 5억만 받을게요. 절반만……."

"야야."

농담이었지만 계약금을 깎았는데도 거절당하자 이혜미는 자존심이 상했다. 계약서를 강기준 쪽으로 주욱 밀어버렸다.

"……재미없어. 계약 없던 걸로 할게요."

"혜미야, 잠깐만."

강기준이 설득에 나섰지만 입술이 나온 이혜미는 요지부동이었다. 변덕인지 심술인지. 일을 할 때는 그렇게 착할 수가 없다고 소문이 나 있던데 다 잘못된 이야기였던 걸까?

'회장님도 함께 왔는데…….'

겉으로는 태연해 보였지만 식은땀이 흘렀다. 상대가 월드에 호의가 있었고 강윤과 좋은 연이 있었기에 계약할 것을 확신했는데 그게 화근이었다. 계약이 어그러지기라도 한다면…….

상상도 하고 싶지 않았다.

'변함이 없네.'

이혜미가 밀당하는 모습을 지켜보던 강윤은 조용히 자리에서 일어나 흡연실로 향했다. 담배 내음이 사방을 가득 채우고 있었다. 품에서 담배 한 개비를 꺼내 불을 붙였다.

'후우.'

흐릿한 연기 사이로 강기준과 이혜미의 모습이 눈에 들어왔다. 강기준과 달리 그는 전혀 불안하지 않았다. 이혜미가 저러는 거 과거에 많이 봤으니까. 그렇다고 자신이 나서면 이혜미 앞에서 강기준의 꼴이 우습게 되어버린다.

한 대를 모두 태우고 다시 불을 붙여 절반쯤 태우니 이혜미가 계약서를 끌어당겨 사인을 하는 모습이 눈에 들어왔다.

밀당이 끝난 것을 느낀 강윤은 담배를 재떨이에 비벼 끄곤 흡연실을 나섰다. 자리에 돌아가니 이혜미가 코를 막으며 눈살을 찌푸렸다.

"아우, 냄새. 뭐야, 오빠 담배 피웠어?"

"조금."

"뭐가 조금이야. 당장 끊어, 당장."

이혜미는 극성을 떨다가 강윤을 향해 계약서를 보여주었다.

"아무튼, 나도 이제 월드 배우야. 그러니까 앞으로 잘 부탁해요, 회장님."

"나도."

강윤은 이혜미의 손을 붙잡았다. 소속사 회장과 연예인으로서의 악수였다. 이혜미는 눈꼬리를 휘었다.

"근데, 진짜 매니저 해주면 안 돼?"

"생각해 볼게."

"약속한 거야?"

막바지 짧은 밀당을 끝으로 여배우 이혜미는 월드 C&C에 합류했다.

'하하, 힘드네.'

악수를 나누는 두 남녀를 바라보며 강기준은 절레절레 고개를 흔들었다.

"하하하하하."

종합 엔터테인먼트, 지예의 사장실에서는 웃음소리가 떠나질 않았다.

강시명의 맞은편에 앉아 있던 남자는 점잔을 빼며 입을 가렸고 여느 때처럼 붉은 옷으로 온몸을 감싼 영유희는 시원하게 웃음을 터뜨렸다.

"이 정도 자금이라면 스폰이나 후원도 필요 없을 거예요."

"스폰뿐이겠습니까. 콘서트 2개, 아니, 3개를 진행해도 문제없겠습니다."

강시명은 잔뜩 들떠 있었다. 그럴 법도 한 것이 테이블 위에는 콘서트에 적극 후원하겠다는 투자회사 복타이의 협약서가 놓여 있었다.

영유희가 말했다.

"어디든 좋으니까 최고의 스태프들로 구성하세요. 가수들도 꼭 지예 쪽이 아니라도 섭외하고요. 알겠죠?"

"알다뿐입니까. 저만 믿으십시오."

"……그러죠. 그럼."

영유희는 강시명을 떨떠름하게 바라보곤 지나쳐 문을 나섰다.

투자자 일행이 모두 나서자 강시명 사장의 비굴한 표정도 천천히 사라져 갔다.

"하여간, 뭣도 모르면서 잘난 척은. 그래도 기회를 줬으니 감사해야지만."

강시명은 달력을 들췄다. 날짜가 아닌 10월이라는 달에 표시가 되어 있었다.

"어디, 다시 한번 해보자. 흐흐흐."

회장실은 트레이너들은 거의 가지 않는 장소였다. 하물며 안시진과 이혁찬, 두 트레이너는 사무실조차 거의 사용하지 않기로 정평 난 사람들이었다.

그런 두 사람이 회장실로 불려왔다. 갑작스러운 강윤의 호출 때문이었다. 평상시와 같이 트레이닝복 차림을 한 안시진은 멀뚱히 강윤을 바라보았다.

"갑자기 무슨 일로……."

이혁찬도 말은 하지 않았지만 안시진과 같은 심경이었다. 평상시처럼 찢어진 청바지를 입고 왔다가 정장 군단들이 집중된 사무실과 회장실에 오니 기분이 이상했다.

강윤은 두 사람의 어색함을 아는지, 미소 지었다.

"아아, 긴장 푸세요. 원래는 직접 내려가려고 했지만……."

강윤은 책상 위를 가리켰다. 책상 위에 가득한 서류들을 보고 두 트레이너는 대번에 이해했다.

"하하…… 회장님이 부르셨는데 와야죠. 그래서 무슨 일로 부르셨나요?"

안시진이 묻자 강윤은 서류를 꺼냈다. 이혁찬은 서류를 꼼꼼히 읽어 나갔고, 안시진은 쭉쭉 훑었다. 먼저 서류를 다 읽은 안시진이 물었다.

"콘서트 스태프 때문이군요. 짐작은 하고 있었는데……."

그녀는 눈치가 빨랐다. 덕분에 강윤도 이야기를 쉽게 풀어갈 수 있었다.

"확정되지는 않았지만 콘서트만을 위한 이벤트 곡이 꽤 많을 겁니다."

안시진은 콘티가 나오면 바로 보내달라고 부탁하고는 밖으로 나갔다. 수업이 있었기 때문이었다.

이혁찬도 서류를 모두 읽고는 강윤에게 눈을 돌렸다. 그는 안시진과 달리 미적거렸다.

"회장님, 죄송하지만 저 혼자서 모두의 안무를 케어하기는 어려울 것 같습니다."

"혹시 지인 중에 추천할 사람이라도 있나요?"

"인태성이라는 녀석이 있습니다. 경력도 저와 비슷하고…… 무엇보다 실력은 보증할 수 있습니다."

강윤은 일단 만나보자고 이야기하고는 그를 돌려보냈다.

다시 자리로 돌아가 서류를 검토하는데 손님이 찾아왔다. 강윤은 반색하며 손님을 반겼다.

"교수님, 어서 오십시오."

체크무늬 정장을 입은 최찬양 교수였다. 오랜만에 마주한 반가움에 그는 강윤의 손을 굳게 잡았다.

근황이 오가던 중 그의 표정이 어두워졌다.

"교수님, 무슨 안 좋은 일이라도 있으셨습니까?"

강윤이 조심스럽게 묻자 최찬양 교수는 뜸을 들였다.

"그게……."

"괜찮습니다. 편히 말씀하십시오."

"염치없지만…… 청탁을 하러 왔어요."

강윤이 몸을 기울이자 최찬양 교수는 눈을 질끈 감았다 뜨곤 말을 이었다.

"이번에 월드에서 콘서트를 한다고 들었어요. 그때, 우리 학과 애들 중 몇을…… 안무팀으로 써줄 수…… 있을까요"

부탁이 힘들었는지 최찬양 교수의 고개가 꺾였다. 오랜만에 봐도 소심한 모습은 변한 것이 없었다.

강윤은 그의 손을 잡았다.

"교수님 제자들이라면 오히려 제가 부탁드려야 할 것 같은데…… 알겠습니다."

"감사합니다, 회장님."

스태프 모집도 착착 진행되고 있었다.

훈훈한 분위기 속에 차를 마시고 있는데 문 비서가 전화로 이현지가 왔다는 것을 알렸다. 통화가 끝나기가 무섭게 이현지가 빠른 걸음으로 들어섰다.

최찬양 교수에게 가볍게 고개 숙여 인사를 한 이현지는 바로 강윤에게 본론을 전했다.

"문제가 생겼어요."

심각해지는 분위기를 느낀 최찬양 교수가 자리에서 일어나자 이현지가 그를 만류했다.

"아니에요. 교수님도 같이 들어주셨으면 해요."

"저도요?"

"네, 염치 불고하고…… 교수님 도움이 필요할 것 같아서요. 회장님, 그때까지 스케줄이 비는 공연 연출가가 없어요."

심각함을 느끼고 강윤의 눈매도 가느다래졌다.

"해외 쪽도 말입니까?"

"몽땅요. 이런 표현은 하기 싫지만, 완전히 씨가 말랐어요. 그, 베르네? 그 사람은 10월에 연말 행사를 준비해야 한다며 쏘리, 마샬은 일본 스케줄이 있다고 거절했어요. 국내 연출가들도 10월은 스케줄이 애매해진다며 거절했어요."

"일정을 바꾼다면 어떻습니까?"

강윤의 제안에 이현지가 고개를 저었다.

"연출가 때문에 일정까지 바꾸는 건 아닌 것 같아요. 일단 방법을 찾아보는 게 좋지 않을까요?"

각종 방안이 나왔지만 뚜렷한 해결책이 나오지는 않았다.

조용히 듣고 있던 최찬양 교수가 말했다.

"그러고 보니, 클래식에도 연출가가 있지 않았나요?"

이현지가 짧게 한숨지으며 고개를 흔들었다.

"있죠. 하지만 신인이라 이 정도 규모를 소화하기엔 역량이 부족……."

"일단 만나보죠."

강윤이 자신의 말을 끊자 이현지는 눈을 동그랗게 뜨고 그를 바라보았다.

"새로운 연출가를 키우려는 거라면 찬성이지만 굳이 월드 스테이지여야 할 필요가 있을까요?"

이현지는 고개를 가로저었다.

월드가 만들어진 이래 가장 큰 프로젝트를 검증 안 된 신인에게 맡기겠다니, 말도 안 되는 이야기였다. 아무리 강윤이 기획을 꽉 잡고 있어도 연출가가 별로라면 공연에 큰 차질이 빚어질 수도 있었다.

조용히 듣고 있던 최찬양 교수는 말을 보탰다.
"출연하는 가수도 많고, 모두 스타일도 제각각이에요. 다른 공연보다도 연출자의 역량이 매우 중요해요."
모두 일리 있는 말들이었다. 잠시 고민하던 강윤은 선선히 고개를 끄덕였다.
"그렇다면, 이사님. 내일 만나볼 생각이었는데, 같이 보는 건 어떻습니까?"
"그게 좋겠네요."

다음 날.
클래식 소속 연출가 공호진이 월드 스튜디오에 도착했다. 깡마른 체구에 홑꺼풀의 눈매를 한 그녀는 큐빅이 박힌 뿔테 안경을 고쳐 쓰며 회장실에 들어섰다.
"어서 오세요."
공호진 연출가는 두 사람을 힐끗 훑어보았다. 보조 연출가로 일할 시절, 강윤과는 여러 번 대면했지만 이현지와는 처음 마주하는 자리였다.
'장난 없네.'
이사라는 직함 때문일까. 자신을 보는 눈매에서 한기가 느껴졌다. 허리를 세워 앉은 자세가 특히나 꼿꼿했다.
다과가 나오고 가벼운 근황이 오간 후 강윤이 본론을 꺼냈다.
"이번 콘서트를 공 감독한테 맡기고 싶어서 불렀습니다."
강윤이 기획안을 내밀었다. 공호진 연출가는 침을 꿀꺽 삼켰다. 지켜보던 이현지의 눈매가 더욱 가라앉았다. 기획안을 읽던 공호진 연출가의 표정도 점점 굳어갔다.

"만만치 않겠네요. 출연진 많은 것도 그렇고, 시간만 따져 봐도 4시간은 거뜬히 넘을 것 같아요. 아니, 5시간도 넘어갈지도……."

"가능하겠습니까?"

강윤에게서 직접적인 질문이 날아들자 공호진 연출가는 침묵했다.

회사에서 거대한 프로젝트가 있을 거란 소문은 들었지만 자신에게 올 것이라고는 상상도 못 했는데…….

이현지가 턱을 괸 채 서늘하게 눈빛을 쏘았다.

"공 감독에겐 다른 기회도 많아요."

"……."

저 이사는 미더워하지 않는 것 같았다. 회장도 이사를 말리지 않고 있었고.

의도가 뭔지 모르겠다. 시험하는 걸까?

머릿속이 꼬여갔다.

강윤이 말했다.

"하나만 생각하십시오. 공 감독이 이 콘서트를 감당할 여력이 되는지만. 흥행 여부는 우리가 생각할 몫입니다."

"그래도……."

"그러라고 저희가 있는 겁니다."

강윤이 부담을 덜어주려고 한 말에 이현지가 눈매를 찌푸렸다.

"하여간. 그렇게 말하면 내가 뭐가 돼요."

강윤이 어깨를 으쓱이자 이현지는 타박을 이어갔다. 친구끼리 티격태격하는 것 같았다. 그 모습을 지켜보고 있으니 이상하게 웃음이 나왔다. 마음이 차분해지며 생각도 정리되어 갔다.

'우리 가수들이라면…… 자신 있어. 유리나 다른 가수들은 연구가 필요하겠지만.'

공호진 연출가의 얼굴이 편안해졌다. 강윤과 이현지도 그녀를 보고 투덕대는 것을 멈췄다. 이현지가 강윤의 귓가에 속삭였다.

'결정했나 보네요. 내가 원하는 방향은 아닌 것 같지만…….'

이현지가 짧게 한숨을 내쉴 때 공호진 연출가가 확신에 찬 눈빛으로 두 사람을 바라보았다.

"할 수 있습니다."

조금 전과 달리 이현지가 안색이 굳었다.

"솔직히 말하죠. 난 공 감독 이 일을 맡는 게 불안하다고 생각하는 사람이에요."

"이해합니다. 전 이 정도 공연을 맡기엔 검증 안 된 신인이죠."

"미안하지만, 이사 입장에서는 좀 더 검증된 사람이 일을 맡았으면 해요. 서운하겠지만……."

쾅.

공호진 연출가가 탁자를 쳤다.

"일주일만 시간을 주세요. 걱정하시는 거, 깔끔하게 날려

드리겠습니다."

"시간을 주면 달라지는 게 있다는 건가요?"

"이사님뿐만 아니라 모두가 납득할 만한 기획안을 가져오겠습니다."

공호진 연출가의 목소리가 확신에 찼다. 잠시 고민하던 이현지는 담담히 고개를 끄덕였다.

"좋아요. 기다리죠. 하지만 알아둬요. 지금 주는 일주일은 공짜가 아니라는 걸."

"각오하고 있습니다."

"회장님도 따로 도와주면 안 됩니다. 여자들끼리의 약속이기도 하니까."

묵직한 과제를 안고 공호진 연출가는 돌아갔다.

그녀가 돌아간 후, 강윤이 물었다.

"후하군요. 지금 우리한테 일주일은 짧은 시간이 아닌데……."

이현지는 창가로 돌아서선 작은 목소리로 답했다.

"기분 탓이었을까요. 좋은 느낌이 들었거든요. 아닐 수도 있지만. 회장님은 계속 다른 연출가도 알아봐 주세요. 모르는 거니까."

강윤은 고개를 끄덕였다. 그녀가 칼 같은 사람이란 건 누구보다도 잘 알았다.

다음 날, 아침 일찍 공호진 연출가는 회장실로 왔다. 기획안을 바탕으로 콘티를 쓰기 위해서였다. 강윤이 메일로 보내

준다고 했지만 기획자에게 자세한 이야기를 듣고 싶다고 직접 찾아온다고 했다.

문 비서가 내온 차를 마시며 두 사람은 머리를 싸맸다.

"순서 같은 건 제가 알아서 짜면 되는 건가요?"

강윤은 고개를 끄덕이자 공호진 연출가의 눈이 커다래졌다.

"그래도…… 회장님이 생각한 것도 있을 텐데. 연출에도 일가견이 있으시잖아요. 미국에서 공연할 때도……."

강윤은 찻잔을 내려놓았다.

"난 연출에서는 전문가가 아닙니다. 공 감독이 전문가죠."

"……."

연출에 대한 전권을 맡기겠다는 의미였다. 무게감이 느껴졌다.

공호진 연출가의 눈빛이 한층 진중해졌다.

"……최선을 다하겠습니다."

"계속하죠. 또……."

강윤은 설명을 이어 나갔다.

콘서트을 위한 공연장을 놓고 이야기하는데 공호진 연출가는 의문점이 생겼다.

"계약한다는 구로 피달레(fidale) 센터는 규모가 작지 않을까요?"

"2만 명을 수용할 수 있는 돔 콘서트장을 작다고 하긴 그렇죠."

공호진 연출가는 어색하게 웃었다. 그동안 월드에서 진행해 왔던 프로젝트들이 워낙 거대했던 탓에 2만 명이 작게 느껴진 탓이었다.

강윤은 펜을 들고 여백에 설명과 함께 대화를 이어갔다.

“이번 공연에서는 어느 콘서트보다 내용이 중요합니다.”

강윤의 말마따나 들어가는 예산도 엄청났다. 일반 콘서트 2개, 아니, 3개도 너끈히 개최할 수 있을 정도의 예산이 투입되니 말이다.

긴장이 더해진 탓일까. 공호진 연출가의 안색이 점점 굳어갔다. 그녀의 지친 기색을 느낀 강윤은 펜을 내려놓았다.

“고생했습니다. 팀 구성은 최 사장님이 도와주실 거고 필요한 거 있으면 바로 연락 줘요.”

“알겠습니다. 감사합니다, 회장님.”

공호진 연출가가 돌아간 후 강윤도 회장실을 나섰다.

그날 이후.

강윤도 본격적으로 콘서트 기획 업무에 나섰다. 공연장 섭외를 마치고, 장비 대관업체 선정과 스폰서 섭외를 시작했다. 이미 강윤의 명성이야 알려질 대로 알려져 있어 대관업체 선정은 어렵지 않았지만 스폰서 섭외는 쉽지 않았다.

“생각보다 콘서트 규모가 작군요. 월드 회장님이 직접 나선다고 해서 기대를 했는데…….”

그동안 큰 규모의 야외 콘서트들을 생각했던 기업들은 상대적으로 작아진 콘서트를 보고 선뜻 투자나 협찬 결정하지 못했다.

"아시다시피, 저희 팬층이 한국에만 국한된 것이 아닙니다. 게다가 해외 팬들을 위해 관광업체와도 협의를 진행하고 있죠. 홍보에는 부족함이 없을 겁니다."

"생각할 시간을 주시겠습니까? 그때 개최하는 대형 콘서트가 있기도 하니까……."

강윤은 일주일 내내 사장, 이사 등과 만나며 섭외에 나섰지만, 섭외에 성공하지는 못했다.

한 대기업 마케팅 담당자는 당혹스러운 제안까지 해왔다.

"아, 이런 조건은 어떨까요? 월드 스테이지? 여기 앞에 저희 회사 로고를 넣는 겁니다. 그렇다면……."

대기업 마케팅 이사의 제안이었다. 강윤은 순간 화를 낼 뻔했지만 참았다.

주도하는 입장도 아니고, 마케팅에 숟가락만 얹어서 가겠다는 속셈이라니. 애써 거절했지만 며칠간 속이 부글부글 끓었다.

그렇게 일주일이 흘러갔다. 약속한 시간이 됐다. 강윤은 공호진 연출가와 이현지가 있는 이사실에 앉았다.

"어디 보죠."

이현지는 공호진 연출가가 가져온 서류를 펼쳤다. 무대 디자인부터 콘티 등 내용이 많았다. 안경까지 쓴 이현지는 서류를 자세히 살폈다.

'깔끔하네?'

LED로 무대 바닥을 덮는 디자인으로 가수들마다 차별화를 둘 수 있게 만드는 전략이 마음에 들었다.

거기에 가수들과는 언제 만나서 이야기했는지 가수들의 무대 연출도 정밀했고 가수의 특징과도 맞아떨어졌다.

'설마?'

이현지의 고개가 강윤에게 휙 돌아갔다

설마, 공 감독 혼자서 이 정도로 일을 해냈다고?

납득이 안 됐다.

미심쩍어하는 이현지를 향해 강윤은 말없이 어깨를 으쓱였다.

공호진 연출가가 말했다.

"회장님이 말씀하신 대로 구로 피달레 센터를 가정해서 연출했습니다. 오프닝은 에디오스로, 마무리는 모두의 합동 무대로……."

설명을 듣는 내내 이현지의 눈썹이 꿈틀댔다. 공연에 대해 전문가 수준은 아니었지만 그녀는 가수 매니지먼트의 이사였다. 풍월 이상은 읊을 능력이 있었다. 그걸 바탕으로 묻고 따져 봤지만 흠잡을 곳이 없었다.

"……회장님이 보기엔 어땠나요?"

결국 이현지는 강윤에게 눈을 돌렸다.

강윤은 찻잔을 내려놓고 서류를 넘겼다. 한 장, 한 장 넘어갈 때마다 서류를 넘길 때마다 공호진 연출가의 눈빛이 흔들렸다.

검토를 마친 후, 강윤은 서류를 내려놓았다.

"이준열이 노래할 때, 관객석의 조명을 모두 끌 때가 있군요. 이유가 있나요?"

"반주 없이 목소리만으로 노래하는 겁니다. 이준열의 무대에서 가장 하이라이트가 될 부분입니다."

강윤은 펜을 들고 이준열이라고 적힌 콘티에 뭔가를 적어 나갔다.

"이준열은 관객이 눈에 들어와야 타오르는 스타일입니다."

"아……."

공호진 연출가는 김빠진 소리를 냈다. 가수의 특징을 생각하지 못해서 벌어진 실수였다.

강윤은 페이지를 넘겨 디에스의 여백에 또 글씨를 적어 나갔다.

"디에스 같은 경우, 특히 김진경은 반대입니다. 윤혜린은 고소공포증이 있어서 이 장치, 3미터 정도 되겠군요. 이런 곳에는 세우지 말아야 합니다. 미미하게 목소리를 떠니까요."

공호진 연출가의 안색이 어두워졌다.

가수의 특징을 파악 못 해서 엉뚱한 콘티를 써버렸다. 이런 실수는 치명적이었다. 일주일 내내 가수들을 쫓아다니며 연구했는데, 그 시간이 무색해졌다.

한숨짓는 공호진 연출가에게 강윤은 미소 지었다.

"그래도 이만하면…… 괜찮군요. 같이 일하기엔 충분합니다."

"……네?"

순간, 공호진 연출가의 안색이 환해졌다. 이현지도 말없이 고개를 끄덕였다.

"감사합니다. 정말 최선을……."

"최선이 아니라, 잘. WELL."

"당연하죠."

이현지의 무서운 덕담에도 공호진 연출가는 기뻐했다. 월드 스테이지의 연출에 공호진이라는 신인이 들어앉는 순간이었다.

밤 10시가 넘었지만 강윤의 컴퓨터는 여전히 켜져 있었다. 콘서트 준비에만 매달리다 보니 처리 못 한 일들이 산더미였다. 덕분에 오늘도 야간이었다.

'이츠파인은 이렇게 운영하면 안 된다니까.'

보고서를 보며 강윤은 혀를 찼다. 현재 파인스톡에서 운영하는 이츠파인도 있고 바다도 있었다.

이츠파인이 둘로 쪼개진 상태. 월드가 파인스톡 대신 세이스와 손을 잡으면서 이츠파인은 유명무실해질 위기에 처했지만 그 자리를 지예가 감쪽같이 메꿨다. 그와 함께 이츠파인의 변화가 시작됐다.

먼저 기존에 주력이었던 초고음질 서비스에 추가 요금이 필요해졌다. 수많은 마니아를 양성했던 인디 뮤직 서비스도 사라졌다. 이츠파인이 가져가던 이익을 30%대에서 40% 수준으로 올려 버렸기 때문이었다.

대신 방송 VOD 서비스를 도입했지만 이츠파인을 이용했던 사람들에겐 별 소용없는 서비스였다. 환영하는 사람도 있었지만 소수였다.

강윤의 안색이 어두웠다.

'……기본이 가장 중요한 거야. 음원 서비스는 잘 들을 수 있게 해줘야지.'

이츠파인의 몰락이 순식간이 진행되니 참…… 씁쓸했다.

쾅.

갑작스럽게 문이 열렸다. 놀랄 법도 했지만 강윤은 담담히 문 쪽을 바라보았다.

"연주아."

이젠 놀랍지도 않았다. 주아는 뚱한 얼굴로 강윤을 바라보았다.

"좀 놀라기도 해라. 밤인데, 퇴근 안 해?"

"밤에만 찾아오는 넌 뭐고?"

서로 한마디도 지지 않았다.

컴퓨터를 끈 후, 강윤과 주아는 근처 술집으로 향했다. 모처럼 마시는 맥주에 두 사람 모두 시원하게 얼굴을 찡그렸다.

"캬아, 이 맛이지. 오빠. 나……."

"왜? 원 사장님 때문에?"

"그건 됐어. 계약하기로 했거든."

강윤이 놀라는 사이, 주아는 500cc나 되는 맥주를 단번에 비워 버렸다.

"호오, 그래?"

"생각보다 일을 잘 따오더라고. 나하고 잘 맞는지는 모르겠지만…… 노력은 엄청해. 그래서……."

주아는 한참이나 원진표에 대해 늘어놓았다. 강윤은 술잔을 기울이며 그녀의 이야기를 들어주었다.

두 사람의 얼굴이 붉게 달아올랐을 무렵, 주아가 헤실대며 강윤을 바라보았다.

"헤헤. 콘서트 한다며?"

"왜? 끼워달라고?"

"아니, 내가 왜?"

주아는 도도하게 웃고 술잔을 내밀었다. 강윤은 잔을 부딪치며 맥주를 비웠다.

또다시 500cc나 되는 맥주를 비워 버린 주아는 강윤을 보며 게슴츠레하게 눈을 떴다.

"오빠 콘서트에 가수 하나만 꽂자."

"뭐?"

"연주아라고 예쁘고, 실력도 좋고…… 아야야야야야!!"

강윤은 조용히 주먹으로 그녀의 머리를 비벼 버렸다.

"……손 참 맵네. 오빠, 요새 맘에 안 들어."

주아가 헝클어진 된 머리를 붙잡고 노려보자 강윤은 코웃음을 쳤다.

"그럼 무릎이라도 꿇을 줄 알았어?"

"이강윤을 처음 발굴한 게 누군데. 나, 연주아야. 이러면 섭섭해?"

주아가 계속 툴툴댔지만 강윤은 웃음만 나올 뿐이었다.

낮에 주아의 대리인 자격으로 원진표가 와서 콘서트 출연 계약을 하고 갔건만, 막상 본인은 모르는 모양이었다.

'뻔하지. 공항에 도착하자마자 여기부터 쳐들어왔을 테니.'

안 봐도 비디오였다.

사실대로 이야기할까 했지만 좀 더 골려주고 싶어졌다.

주아가 강윤이 뜻대로 움직이질 않아 꿍해져 있을 때, 인기척이 났다. 돌아보니 주아를 데리러 온 원진표 사장이 있었다.

"주아야. 회장님도 같이 계셨군요."

주아는 손을 흔들었고 강윤은 의자를 빼며 자리를 권했다.

술이 오가고 이야기를 나누다 보니 자연히 낮에 있었던 계약 이야기가 나왔다.

강윤이 자신을 놀렸다는 걸 알자 주아가 눈에 쌍심지를 켜더니 소리쳤다.

"이 사기꾼아!!"

"계약 안 한다고는 안 했어."

"그게 뭐야? 장난해?"

주아가 화를 냈지만 강윤은 여유롭게 한 귀로 흘려 버렸다. 비싼 척 좀 해보려다가 역풍만 맞은 꼴이었다.

"딱 기다려. 나 물 좀 버리고 올 거니까. 다 죽었어, 아주."

주아는 씩씩대며 화장실로 가버렸다. 강윤과 원진표는 그녀의 뒷모습을 보며 웃음을 터뜨리며 잔을 부딪쳤다.

"낮에 했던 이야기를 약간 더 해야 할 것 같습니다."

원진표의 얼굴에서 웃음기가 빠졌다.

"큰일은 아닙니다만…… 콘서트에서 주아와 함께 합을 맞출 댄스팀을 구해주실 수 있으신지요?"

"어려운 일은 아니죠. 알겠습니다. 그런데, 같이 움직이던 팀이 있지 않았습니까?"

"그게…… 11월에는 스케줄을 빼달라고 하더군요. 중국에서 중요한 스케줄이 잡혔다고."

강윤은 고개를 끄덕였다.

"어려운 일은 아니군요. 그런데 주아가 쉽게 보내줄 리가 없는데…… 무슨 일이 있었던 건 아니지요?"

"요새 중국 쪽에서 한국 댄서를 많이 데려가지 않습니까. 주아도 좋은 일이라며 환영했습니다. 아무튼, 한시름 덜었습니다. 감사합니다."

하긴, 주아가 성격은 세도 자기 사람은 끔찍하게 잘 챙겼으니까.

호랑이도 제 말 하면 온다고 씩씩대며 나간 주아가 돌아왔다.

"다들, 잔 여기다 딱 놔요. 죽었어, 아주."

그녀는 연거푸 잔을 채웠고 술자리는 긴 시간 동안 이어졌다.

다음 날.

기획 회의를 하기 위해 강윤은 월드 클래식 사무실로 향했다. 주아의 요구 사항도 전달할 겸 진행 상황을 듣기 위해서였다.

직원의 안내를 받아 안으로 들어서니 최경호가 수화기를 든 채 얼굴을 붉히고 있었다.

"이틀 전만 해도 괜찮다고 했잖습니까. 한 달 전부터 이야기한 겁니다. 거참."

최경호의 목소리는 점점 높아져 갔다. 심상치 않은 분위기를 느끼고 강윤은 조용히 소파에 앉았다.

"……알겠습니다. 어쩔 수 없죠."

소리를 높여가던 그는 통화를 마친 후 짙은 한숨을 내쉬다가 강윤을 발견했다.

"아, 회장님 오셨습니까."

"네. 그런데…… 무슨 일 있습니까?"

최경호는 강윤의 맞은편에 앉아 자초지종을 이야기했다.

"정민아와 호흡을 맞추던 레이븐 팀이 이번 콘서트에 참여하기 힘들 것 같다고 연락이 왔습니다."

"그래요? 민아가 또 깐깐하게 굴었나? 걔랑은 맘 맞는 팀 구하기도 쉽지 않은데…… 알겠습니다. 말해놓……."

"그게……."

사정이 있는 것 같았다. 최경호는 쉽게 입을 떼지 못했다.

"설마, 다른 가수들도 그런 겁니까."

"그게…… 은하의 댄스팀 빼고, 11월엔 다들 스케줄이 있다고……."

강윤은 의아했다.

댄스팀 대부분 참여를 못 한다? 그것도 행사비를 가장 많이 받는 콘서트를?

"뭔가가 있군요."

최경호도 강윤과 같은 생각이었다.

모두가 비슷한 시기, 불참을 통보해 왔다. 한 팀만 빼놓고. 11월에 어딘가 꿀을 발라놓은 뭔가가 있을 게 분명했다.

이럴 때는 당사자를 만나보는 게 우선이었다.

두 사람은 가수 은하가 공연을 하고 있는 유로스 쇼핑몰로 향했다. 월드 스튜디오 바로 옆에 있어 금방이었다.

막 행사를 마치고 거친 숨을 몰아쉬던 김지민은 갑자기 찾아온 두 사람을 보더니 눈을 휘둥그레 떴다.

"두 분 갑자기 무슨 일로……."

강윤은 손을 들어 흔들곤 땀을 닦고 있던 댄스팀장 이윤익에게 눈을 돌렸다.

"이 팀장, 잠깐 시간 괜찮겠습니까?"

"네? 아, 네."

이윤익 팀장의 눈동자가 흔들렸다. 강윤과 최경호는 그녀를 데리고 행사장 밖에 세워져 있던 밴 안으로 들어갔다.

'뭐야? 너네 팀 뭐 했어?'

'모르겠어요, 무슨 일이지.'

갑작스러운 최고 경영진의 방문에 현장에 남은 이들 사이에 말이 돌았다.

밴 안에선 이윤익 팀장이 긴장감에 고개를 숙인 채 손가락을 꼼지락댔다.

강윤이 말했다.
"물어보고 싶은 게 있어서 왔습니다. 예고도 없이 미안합니다. 최근에 모르는 사람이 찾아오거나 연락해 온 사람 있었나요?"
"그게……."
이윤익 팀장은 우물쭈물하자 최경호가 낮은 톤으로 물었다.
"솔직히 답해주십시오. 우리 회사에도 중요한 일이라서 그럽니다."
"……죄송합니다, 사장님. 전, 아무것도 몰라요."
말과 달리 몸이 가늘게 떨렸다. 두 사람과 눈도 마주치지 못했다.
강윤이 말했다.
"이 팀장에겐 아무런 피해가 없도록 하겠습니다. 솔직히 말해주십시오. 있으면 있었다, 없으면 없었다. 확실하게……."
이윤익 팀장의 이마에서 땀이 흘러내렸다. 두 남자는 차가운 눈매로 그녀를 바라보았다.
잠시 후, 이윤익 팀장이 짧은 한숨을 쉬더니 지갑에서 뭔가를 꺼내 건넸다.
"……지예에서 온 사람이라고 했어요."

「종합엔터테인먼트 지예, 스카우터 김종익」

명함에는 깔끔한 필체로 그렇게 적혀 있었다.
강윤은 눈을 감았고 최경호는 짙은 한숨을 내쉬었다.

"11월에 콘서트가 열린다고 했었습니다. 건당 세 배의 대우를 해준다며 팀 전부를 옮기는 게 어떻겠냐고…… 제안을 해왔었어요."

"다른 팀에게도 비슷한 이런 연락이 갔겠군요."

이윤익 팀장은 작게 고개를 끄덕이다가 양손을 휘저었다.

"저, 절대 제가 말한 게 아니에요. 절대……."

"걱정 마십시오. 우리만 아는 사실로 하죠. 본의 아니게 불편하게 만들었군요. 미안합니다."

강윤은 어두워진 이윤익 팀장을 다독이곤 자리에서 일어났다. 이쯤이면 필요한 정보는 모두 얻었다.

밴 문을 열자 김지민이 안절부절못하며 기다리고 있었다.

"저…… 회장님, 언니한테 무슨 일 있나요?"

강윤은 고개를 저으며 김지민의 등을 다독였다.

"그냥, 물어볼 게 있어서. 아, 맞다. 희윤이가 아까 곡 보냈다더라."

"아, 진짜요? 빨리 확인, 확인……."

김지민은 곡 이야기를 듣자마자 빨리 듣고 싶다며 밴 안으로 뛰어들어 갔다.

월드 스튜디오로 돌아오는 길. 두 사람은 잠시 흡연실에 들렀다. 강윤과 최경호는 서로에게 불을 붙여주었다.

연기를 내뿜으며 최경호가 말했다.

"댄서들도 제안을 받고 고민을 많이 했을 겁니다. 원체 배고픈 직종이잖습니까. 세 배나 되는 돈을 준다면, 흔들릴 만

했겠죠."

강윤도 긴 숨을 토해내며 하얀 연기를 뿜어냈다.

"……그럴 겁니다. 세 배나 준다지만 지예 입장에서는 크게 부담되는 돈은 아니겠죠. 베테랑들과 함께하니 남는 장사네요. 이건 우리 책임도 있습니다. 너무 무심했어요."

"회장님."

그동안의 의리를 저버린 사람들에게도 책임이 있고 갑자기 빼간 지예도 문제가 있건만, 모든 책임을 자신에게 돌리고 있었다.

마지막 연기를 토해내는 최경호의 입가엔 씁쓸함이 걸렸다.

"……사람이 완벽할 순 없습니다. 이제라도 알았으니 같은 실수를 하지 않으면 됩니다."

"그런가요."

두 사람은 흡연실을 나와 10분 정도 걸었다. 월드 스튜디오의 입구가 보였다.

월드 스튜디오를 상징하는 간판을 보며, 강윤이 말했다.

"댄스팀을 우리가 직접 가지는 건 어떨까요?"

"댄스팀을 말입니까?"

생각에 잠긴 최경호 뒤로 달이 천천히 떠오르고 있었다.

"하하하. 지금쯤이면 애 좀 먹고 있겠어."

보고서를 보던 강시명 사장은 한바탕 웃음을 토해냈다. 스카우터들이 월드 쪽 댄서 대부분을 포섭했다는 내용이었다.

"그런데 말이지. 왜 자네만 성과가 없으신가?"

"그게…… 죄송합니다, 사장님. 김지민과 그 팀장이란 여자가 워낙 가까운 사이라서……."

보고서를 가져온 남자, 그는 떨고 있었다.

강시명의 미소 띤 얼굴이 기묘하게 뒤틀렸다.

"다른 사람들은 그런 조건 아니었나? 말했지? 죄송이란 말은 개나 돼지가 하는 말이라고, 사람은 성과로 말하는 거라고. 그렇지?"

"……."

남자는 입술을 질끈 깨물었다. 결국 넌 개돼지라는 말이었으니까.

강시명 사장은 남자에게 보고서를 던졌다.

"없어져."

남자는 분함에 몸을 떨며 고개를 숙이곤 사장실을 나섰다.

"일도 못하는 새끼가 팀장만 달면 뭐 해."

혼자가 된 강시명 사장은 조금 전에 올라온 서류를 들었다.

「지예, 11월 국내 최대 규모의 콘서트 개최. 투입 예산만…….」

「10만 명이 넘는 단독 콘서트 열린다. 지예, 모든 역량 투입. 투자 기업 줄 잇나.」

조만간 올라갈 콘서트 홍보 기사였다. 기자들에게 들이부은 돈이 톡톡히 제 몫을 해내고 있었다.

월드가 콘서트 홍보를 시작하면 이게 터질 것이다. 사람들은 비교하며 알게 될 것이다. 지예가 돈이든, 규모든, 내용이든 뭐든 월드보다 월등히 앞서가는 곳이라는 걸.

"힐링이 되는구나, 힐링이. 캬아."

생각만 해도 짜릿했다. 강시명 사장의 입가에서 미소가 떠나질 않았다.

며칠 후, 강윤과 이현지, 최경호가 회장실에 모였다. 스테이지 제작업체 선정을 비롯해 다른 중요한 사안들을 결정하기 위해서였다.

빨간펜을 든 이현지는 회사들이 적힌 곳에 여러 가지를 적으며 고심했고, 최경호도 의견을 제시하며 생각을 맞춰갔다.

"……그럼 스테이지 제작업체는 파트레슈로 선정하는 걸로 하겠습니다."

강윤의 선언과 함께 이현지가 깍지를 끼며 뒤로 몸을 뉘었다. 3시쯤 시작된 회의가 석양이 질 무렵 끝났으니…… 피곤함이 몰려올 만했다.

"수고들 하셨어요. 오늘은 여기까지인가요?"

이현지가 자리에서 일어나려는데 최경호가 어깨를 돌리며 물었다.

"회장님, 그때 말씀하신 댄스팀은 어떻게 하실 생각이십니까?"

이현지는 눈을 감았다. 이 사람들, 지치지도 않는 모양이다.

"잠깐 쉬었다 하죠. 머리가 녹아버릴 것 같네요."

이현지가 강하게 도리질하자 모두 웃음보가 터졌다.

남자들도 짧은 담배 타임을 가진 후, 회의가 다시 시작됐다.

최경호가 다시 의견을 말했다.

"클래식 소속 댄스팀을 만드는 게 어떨까 합니다."

이현지가 고개를 갸웃했다.

"클래식 소속 댄스팀이라……. 기존보다 예산이 많이 들어갈 것 같네요."

강윤이 책상에서 서류를 가져와 탁자 위에 놓았다. 기존 체제와 클래식에 댄스팀이 신설되었을 때를 비교한 예산 관련 서류였다.

보고서를 찬찬히 읽던 이현지의 눈썹이 꿈틀댔다.

"지금보다 예산이 1.5배 정도 증가하는군요. 월드 직원들이라면 정직원이니까 4대 보험도 생각해야겠고, 상여금까지. 2배 이상은 생각해야겠네요."

이현지로선 필요성에 의문이 들었다. 댄스팀이야 필요하면 불러 돈을 주면 되는데 굳이 회사 소속으로 만들어서 어디에 쓰려는 건지. 가뜩이나 콘서트 때문에 예산 압박에 시달리는 중인지라 불필요한 곳에 예산을 낭비할 생각은 없었다.

최경호가 말했다.

"우리 자체 내에서 댄스팀을 운영하면 업계 이미지 개선에 도움이 됩니다. 댄서들의 환경이 열악한 거야 다들 잘 아는 사실일 테고……."

"사장님, 우리는 자선 사업가가 아니에요. 대외 이미지 개선도 이 정도면 충분하다고 생각하는데요."

두 사람은 회사 소속 댄스팀을 놓고 툭탁댔다. 모두 각자의 이유가 있었다.

잠자코 듣고 있던 강윤이 말했다.

"합시다."

"회장님."

이현지가 눈살을 찌푸렸다.

"댄스팀이 수익을 창출할 수 있나요? 돈만 낭비하는 천덕꾸러기가 될 겁니다."

"그렇진 않습니다. 팀을 잘 운영하면 다른 가수들에게 파견을 보내서 수익을 만들어낼 수도 있습니다. 게다가 무대를 확장시키면 더 넓은 영역으로 진출할 수 있습니다. 한국 댄서들도 아시아에서 대우받는다는 걸 아시잖습니까."

"그거야……."

이현지는 점점 수긍하고 있었다. 한류는 거대한 흐름이었다. 댄서들도 이 흐름에 속해 해외 가수들에게 매우 각광받고 있었다. 연줄이 없어 손이 닿지 않았을 뿐이었다.

강윤은 이를 누구보다 잘 알고 있었다.

"잘 키우면 댄스팀은 우리에게 연금이 되어줄 겁니다, 천덕꾸러기가 아니라."

이현지는 입을 닫았다. 한참을 고민하더니 결국 두 사람의 의견에 동의하곤 도장을 찍었다.

회장실에서 나온 댄스팀 기획안은 바로 클래식으로 전달됐고 행동에 들어갔다.

이틀 뒤, 연습생들의 성지 연화넷에 구인 광고가 올라갔다.

〈월드 클래식 소속 댄스팀 팀원을 모집합니다〉

공연 전문 회사, 월드 클래식에서 소속 댄스팀을 모집합니다.

근무 형태 : 정직원

모집 인원 : 15~20명

학력, 경력 무관.

담당 업무 –가수 백업 및 댄스팀 자체 공연 활동.

우대 사항 –연습생 출신, 댄스 동아리 출신 우대.

4대 보험, 정기, 부정기 상여금.

단, 업무 강도가 매우 높으니 지원 시 주의할 것.

–내 눈 잘못된 거 아님?

–월드가 또…….

월드 클래식 소속 댄스팀원을 모집한다는 공고가 나가자 연화넷은 난리가 났다.

제 편 감싸기라고 악평을 듣기도 했지만 연습생들에겐 월드는 신의 직장이었다. 업무 강도가 높다는 경고 따윈 보이지도 않는지 너도나도 지원에 나섰다.

"디도스 걸렸나? 서버 또 왜 이래?"

공지가 올라오고 1시간 만에 월드 클래식 서버가 마비되는 일까지 벌어졌다. 덕분에 클래식 직원들은 지원서를 내지 못한 지망생들에게서 걸려온 전화로 때아닌 고생을 했다.

새로 창설될 댄스팀장으로 인태성을 스카우트했다. 월드의 댄스 트레이너 이혁찬과 같은 크루 소속으로 수많은 아이돌 그룹의 안무를 만들어낸 실력가였다. 이혁찬 트레이너가 직접 설득해서 입사했다.

두 사람은 댄스팀에 들어올 연습생들의 서류를 검토했다.

"역시, MG 출신 애들이 실력은 좋아."

"그러게. 이런 애들이 왜 쫓겨난 건지. MG도 참……."

이혁찬과 인태성은 지원자들의 서류와 동영상을 보며 혀도 찼고 감탄도 했다.

천 개가 넘는 동영상을 보느라 눈이 시뻘게졌다. 지원자가 워낙 많아 시간이 걸렸다.

추리고 추려 최종 오디션을 볼 30명을 선발했다.

최종 오디션 날.

지원자들이 가슴에 번호표를 붙이고 가슴 졸이고 있을 때, 강윤은 회장실에서 일을 하고 있었다.

"회장님, 정말 저희가 다 선발해도…… 괜찮겠습니까?"

이혁찬이 묻자 강윤은 고개를 끄덕였다.

“춤은 나보다 두 분이 더 잘 아시잖습니까.”

“그래도 회장님의 감이 있는데…….”

업계에서도 최고라고 소문난 강윤이 오디션을 안 본다니. 인태성이 조심스레 물었지만 강윤은 고개를 저었다.

“인 팀장님의 팀입니다. 맡기겠습니다.”

강윤의 말에서 무게를 느껴며 인태성은 굳은 얼굴로 회장실을 나섰다.

—RE : 요청하신 콘서트 관련 기사 리폿입니다~ 회장님♡

어제 월드 스테이지가 열린다고 홈페이지를 통해 공식 발표했고 관련된 기사들에 대한 반응에 대한 데이터를 요청했었다.

홍보팀 여과장에게 고맙다고 답장을 보낸 후 강윤은 메일을 확인했다.

‘조회수도 높고. 괜찮네.’

월드의 전 가수, 주아, 디에스, 이준열까지 한 무대에 서는 콘서트. 반응이야 말할 것도 없었다. 아시아 쪽, 특히 중국 쪽에서도 꼭 오겠다며 난리였다.

강윤은 메일을 끄고 포털 사이트를 열었다. 관련 기사들을 훑는데 이상한 기사가 눈에 띄었다.

—MG 스테이지의 후예? 지예의 더 빅 스테이션, 월드의

월드 스테이지. 승자는 누구?

비슷한 기사들이 도배되어 있었다. 내용을 보니 11월, 같은 날짜에 두 콘서트가 열린다는 소식도 함께 붙어 있었다.

먼저 콘서트 일자를 발표한 건 월드였다. 그 뒤에 발표한 건 지예. 일부러 날짜를 겹친 것이다.

–저 둘은 어디 하나가 박살 나야 안 싸울 듯.

–노이즈 마케팅 쩐다. 그래도 재미있으니 됐음.

–지예가 유리할 듯. 중국 쪽 돈 받고 바른 보람이 있음.

같은 날, 콘서트가 열린다며 모두가 호들갑을 떨었다.

월드와 지예가 앙숙이라는 건 이미 잘 알려진 사실. 이런 전쟁이야 사람들에겐 즐거움이었다.

강윤으로선 어이가 없었다. 경영자라면 이런 행동을 해서는 절대로 안 됐다.

'차라리 잘됐어. 이번 기회에 끝장을 보자.'

지예를 상징하는 나무 로고를 바라보며 강윤이 이를 갈았다. 화가 난다고 감정적으로 대응하면 같은 수준이라는 걸 인증하는 것밖에 안 된다.

1인자는 1인자의 싸움법이 있는 법.

강윤은 우선 집안 단속에 나섰다. 사내 모든 직원에게 공지문을 돌렸다.

「날짜가 겹친 것 때문에 동요할 필요 없습니다. 우리는 우리 길만 가면 됩니다.」

이후, 오디션장으로 가 볼 생각에 일어났는데 문 비서가 벨을 울렸다. 그녀는 이야기가 오갔던 대기업 한신그룹 마케팅 이사에게서 연락이 왔다고 알렸다.

강윤이 버튼을 눌렀다.

—……유감스럽게 됐습니다. 이번 건이 이사회에서 부결이 났네요.

강윤은 눈을 감았다. 로고를 넣어달라는 걸 기껏해서 다른 조건으로 바꿨다.

이야기가 잘되나 싶었는데…….

"……어쩔 수 없죠. 신경 써주셔서 감사합니다, 민 상무님."

—아닙니다. 그나저나…… 찔려서 말은 해야겠어요. 이번 건 말입니다. 지예와…… 체결하게 됐습니다. 조건이 너무 좋았어요. 한신그룹 로고도 넣고 중간에 광고도 넣어준다 하니, 에잉.

혀를 차는 소리가 들려왔다. 너무 박하게 굴었다는 질책이었다.

할 말은 많았지만 강윤은 속 안에 눌러 담았다. 주관사가 아닌 일개 협찬사가 로고를 넣어달라는 건 확실히 무리한 요구였다. 무리한 중간 광고는 공연에 대한 몰입도에 영향을 준다.

"……아닙니다. 다음에 더 좋은 인연으로 뵙죠."

통화를 마친 후 강윤은 천장을 올려다봤다.

'……그래, 이런 식으로 계약이 성사돼도 질질 끌려다닐 뿐이야.'

쓰린 속을 달래며 강윤은 다시 협찬사 리스트를 열었다. 붉은색으로 X자 표시된 기업이 절반 이상을 채운 것을 보니 한숨이 나왔다.

다음 날.

기획 회의가 열렸다. 직원들에게서 가장 먼저 나온 말은 월드와 지예에 관한 여론이었다.

"월드 스테이지와 더 빅 스테이션을 비교하는 기사가 계속 늘어가고 있습니다."

"실시간 검색어에 12시간째 '월드 지예 콘서트'라는 말이 순위권에 있습니다."

직원들의 브리핑을 듣던 이현지는 쿠키를 입안에 거칠게 털어 넣었다.

"월드 대 지예라는 프레임이 형성됐다는 말이군요. 억지로 깨려고 한다면 오히려 부작용이 생길 수 있겠어요."

"기다리는 게 좋겠습니다. 시간이 가면 관심에서 멀어질 테니까요."

최경호의 의견에 모두가 동의했다. 상대방에 짜놓은 프레임에 놀아날 이유가 없었다.

이후, 월드의 결정은 스타들을 통해서도 나타났다.

화보 촬영을 하던 중 쉬고 있던 김재훈에게 잡지사 기자가 접근했다.

"지예와 월드가 같은 날 콘서트를 연다면서요? 사전에 이야기가 된 건가요?"

"날짜로는 최고잖아요, 막 수능도 끝날 때고. 우연히 겹친 것 아닐까요?"

중국에서 광고 촬영을 하던 에디오스도 방송사와의 인터뷰에서 같은 질문을 받았다. 에디오스 멤버들은 대수롭지 않은 듯 웃으며 답했다.

[그 날짜가 좋았거든요. 저희만 좋았던 건 아니었을 거예요.]

[날짜가 겹쳤다는 게 중요한 건 아니라고 생각해요. 좋은 공연을 만드는 게 더 중요한 거죠.]

월드 스튜디오 소속 연예인들은 대수롭지 않은 반응으로 일관했다.

지예 소속 연예인들도 여러 방법으로 자신들의 생각을 밝혔다. 뮤직비디오 촬영 중이던 소속 가수 이태준은 엄지와 검지로 간격을 만들어 카메라 가까이에 들이댔다.

"그쪽보다 요~ 만큼 더 만족할 수 있도록 준비하겠습니다. 저 이태준, 많이 사랑해 주세요. 사랑합니다."

지예의 간판 아이돌 가수, 헬로틴트도 모공 없는 피부를 강조하듯 얼굴을 가까이 가져갔다.

"그날, 꼭 보러 와주세용~ 오실 거죠? 딴 데 가면 미오할 거야~"

직접적인 언급은 없었지만 지나가듯 언급하는 것이 차이였다.

두 소속사 가수들의 인터뷰는 각종 매체를 타고 쭉쭉 퍼져나갔다.

–월드 스테이지는 진리입니다. 아듀, 아리에스, 에디오스!!

–빅 스테이지 짱!!! 지예가 이번엔 큰일 냅니다. 유린다미러비러비♡♡♡

–월드 쪽 갔다가 지예로 가면 안 됨? 날짜 바꾸면 안 됨요?ㅠㅠ

반응은 각양각색이었지만 관심도는 매우 높았다. 국내 최고의 가수 기획사 두 곳이 직접 부딪혔으니 뜨거울 수밖에 없었다.

그러던 중 지예 쪽에서 홍보 기사를 냈다.

[더 빅 스테이션, 일본 최고의 공연 연출가 류마 카이토와 계약. 계약금만…….]

지예는 더 빅 스테이션 연출을 위해 류마 카이토(43)와 계약을 맺었다. 류마 카이토는 도쿄돔을 비롯, 대형 공연 경력만 10년이 넘은 일본에서는 최고라고 불리는 연출가다.

이미 일본 출신의 이토 료타(51)를 공연 기획자로 영입한 지예는 이번 콘서트에서 제대로 된 공연을 보여주겠다며……(중략)…….

류마 카이토는 같은 날 진행한 인터뷰에서 같은 날 공연하는 월드 스테이지의 공연 연출가가 신인이라는 걸 듣고는 대형 공연 연출은 가벼운 경력으로 할 수 있는 게 아니라며 혹평을……(중략)…….

공연 연출가에 대해 사람들의 관심도는 그리 높지 않았다.

문제는 비방을 하면서 생겨났다. 지예 측 연출가가 월드 측 연출가에게 혹평을 하면서 사람들의 관심도가 한순간에 솟구쳤다.

–잘난 척 오지네. 거장은 처음부터 거장이었나? 쪽바리 기질 어디 안 간다.

–너나 잘하세요. 경력보다 실력이지.

–낙하산을 꼬집은 거 아닐까요? 월드가 은근히 낙하산이 있긴 했음.

–기다리셈. 곧 이강윤이 자기 식구 책임진다며 감정팔이 할 거임.

–신인 연출가가 잘할 수 있을까? 궁금하긴 하다.

논란과 나쁜 소문은 빠르게 퍼지는 법이다.

"당분간 인터넷 끊어야겠네요."

소문을 알려준 스태프를 향해 공호진 연출가는 태연히 어깨를 으쓱였다. 욕 좀 먹었다고 흔들리는 모습을 보이면 믿고 맡겨준 사람들에게 할 말이 없어진다.

이 사안은 당연히 강윤에게도 들어갔다.

"아무래도 내가……."

함께 보고를 듣던 이현지가 강윤을 만류했다.

"지금은 가만히 있는 게 나아요. 가뜩이나 제 식구 감싸기, 월드 공무원이라는 말까지 듣고 있는데 또 나서면 여론만 더 악화될 거예요."

"……."

"신인이라도 연출은 연출이에요."

구구절절 맞는 말이었다.

강윤도 이미 알고 있었다. 답답해서 한 행동이었다.

애꿎은 커피잔만 돌려대던 강윤에게 이현지가 물었다.

"우리스타일 협찬 건은 어떻게 됐나요?"

"좀 더 이야기가 필요하다고 했습니다. 이사님 쪽은 어땠습니까?"

"레오민 쪽은 연락 준다고는 하는데, 말이 없네요. 지예 쪽을 기웃거린다는 소문만 들려오더군요."

강윤은 한숨을 내쉬었다. 여전히 투자나 협찬은 좋은 소식이 없었다.

의사를 타진하는 곳이 없는 건 아니었다. 광고를 무리하게 요구하거나 티켓에 광고면을 크게 실어줄 것을 요구하는 바람에 엎어질 뿐이었다.

이현지는 천장을 보며 장탄식을 내뱉었다.

"정말 이런 쭉정이 같은 곳밖에 없는 건가요? 성과가 없으니 참…… 스트레스네요."

강윤도 쓰게 웃으며 창밖으로 눈을 돌렸다. 이미 달이 중

천에 떠 있었다.

강윤은 벽에 걸린 시계를 보고는 자리에서 일어났다.

"시간이 됐네요."

"아, 벌써 그렇게 됐나요."

이현지는 강윤의 뒤를 따라 회장실을 나섰다.

♪♬♩♪♬♫♩♪

달이 높이 떠오른 밤 11시.

월드 스테이션의 7층 스튜디오는 시계 소리만이 퍼져 가고 있었다.

끼익-

조용하던 스튜디오에 문이 열리며 입구에 여성의 실루엣이 비쳤다.

"아무도 안 왔나?"

발목까지 덮이는 긴 원피스를 입은 김지민이었다.

불을 켜고 주변을 두리번거리는데 한쪽에 세워져 있는 기타를 발견하곤 눈을 번쩍였다.

"It's sunny--"

기타를 치며 팝송을 흥얼거리는데 닫혀 있던 스튜디오 문이 열렸다. 작은 키에 얇은 허리, 자주 보이는 인영은 아니었다.

"안녕."

"주아 선배님, 오셨어요?"

놀란 김지민은 연주를 멈추고 자리에서 일어났다. 주아는 까칠하기로 소문난 어려운 선배였다. 아쉬움에 기타 줄만 만지작대다가 스탠드에 걸어놓았다.

"지민이었지?"

"네, 선배님. 하실 말씀 있으세요?"

공손히 답하는 후배를 향해 주아는 기타를 보며 눈짓했다. 김지민은 화색을 띠며 얼른 기타를 집어 들었다.

"하고 싶은 거 해봐."

독특한 두 목소리가 스튜디오를 덮었다.

두 번째 곡이 후렴에 접어들었을 무렵, 이번에는 한 남자가 스튜디오에 들어섰다. 김재훈이었다.

"주아 씨, 안녕하……."

인사도 하기 전, 주아는 김재훈을 향해 옆에 서라고 손짓했다. 눈치챈 김재훈은 바로 주아 옆에 섰다. 김지민은 허밍과 함께 기타를 쳤고 김재훈이 테너, 주아가 소프라노 음을 냈다. 목소리가 늘어나니 잼이 풍성해졌다.

문이 열릴 때마다 목소리, 악기가 하나하나 늘었다. 지시하지 않아도 가는 발걸음이 자연스러웠다.

"못다 전한-- 나의 마음-- 넌-- 언제--"

대화도 거의 없었다. 누군가가 첫 소절을 부르면 악기가 따라갔다. 악기가 먼저 익숙한 반주를 넣으면 목소리가 그 뒤를 받쳐 주었다.

"어라? 재밌는 거 하고 있네요?"

이현지와 공호진 연출가가 들어섰을 즈음, 스튜디오의 분위기는 무르익어 있었다.

'여긴 참, 천국이야.'

뒤이어 들어온 최경호는 흐뭇한 미소와 함께 뒤로 물러났다.

마지막으로 강윤과 희윤이 문을 열었다. 악기들과 가수들에게서 나온 음표들이 하얀빛을 만들어내고 있었다. 빛은 심장이 뛰듯 일렁이며 은빛을 머금고 있었다.

강윤이 들어온 후, 음악이 천천히 느려졌다. 곧 회의를 시작할 시간이었다.

마지막으로 이현아의 손가락이 건반에서 멀어지자 이현지가 손뼉을 치며 시선을 모았다.

"아쉽지만, 오늘은 여기까지."

"우우."

이현아와 인문희는 입술을 삐죽거렸다. 김지민도 아쉬워하며 기타를 내려놓았다. 다른 가수들도 별반 다르지 않았다.

이렇게 많은 가수가 모여 잼을 할 수 있는 기회가 얼마나 될지.

그때, 강윤이 말했다.

"20분이면 되겠지?"

"회장님."

"만세!!"

이현지가 강윤을 향해 눈을 흘겼다. 가수들은 모두 손을 들며 환호했다.

희윤도 말없이 얼른 이현아 옆, 피아노 앞에 앉았다. 손가락을 풀며 건반을 오르락내리락하자 가수들은 다시 흥을 끌어올렸다.

가수들이 한창 노래하는데 강윤의 머릿속에 뭔가가 스쳐 갔다.

'이거, 그림 되겠는데?'

강윤은 멀찍이 세워진 보면대 위에 핸드폰을 올려놓았다. 스튜디오 전체가 들어오도록 앵글을 맞춘 후, 뒤로 물러나 있던 이현지와 최경호, 공호진 연출가까지 앵글 안으로 끌어들였다.

"전 노래 못하는데……."

이현지가 특히 거부했지만 강윤은 그녀를 이준열 옆에 세웠다. 이준열은 이현지를 보며 피식 웃고는 손짓으로 그녀와 호흡을 맞췄다.

"가끔은 사람에 웃고-- 어떤 날은 사람에 울지만-- 그대와 함께 난 언제나 페스티벌--"

경영진의 목소리가 들어갔어도 전체적인 퀄리티는 크게 변하지 않았다. 오히려 분위기가 잔뜩 올라 이준열은 춤까지 추며 웃음바다를 만들었다.

"20분 다 됐……."

시계를 보던 이현지가 20분을 외쳤지만 누구 하나 멈출 생각은 없어 보였다.

'……그래, 이따 하지 뭐.'

이현지마저 마지막으로 잡고 있던 정신줄을 놓아버렸다.

20분이 2시간이 되는 기적이 벌어졌다.

"열심히 놀았으니까 이제 회의를 시작해 볼까요?"

가수든 경영진이든 기진맥진한 건 매한가지였지만 회의는 예정대로 진행됐다.

모두가 이현지의 지독함에 다시 한번 혀를 내둘렀다.

가수들이 기진맥진하며 회의를 하던 때, 강윤은 핸드폰을 확인하곤 미소를 지었다.

다음 날.

월드 스튜디오 홍보팀에 회장실에서 메시지가 날아들었다.

-편집해서 세이스 TV에 올려주십시오.

첨부 파일 : 필받은거.avi

회장실에서 보내온 거니 모든 직원이 영상 확인에 들어갔다.

은하, 에디오스 등 월드의 가수들과 주아, 디에스 등의 가수들이 함께 스튜디오에서 자유롭게 합을 맞추는 영상이었다.

"이거 엄청나네요. 돈 주고도 못 볼 영상이에요."

방송에 익숙해진 직원들조차도 즉흥 연주를 보며 감탄을 금치 못했다. 출연진도 좋았지만 무엇보다 누구도 찍는다는 걸 모르는 것 같은 자유로운 분위기가 으뜸이었다.

작업 후, 홍보팀은 세이스 TV에 업로드했다.

튠과 같은 동영상 전문 사이트 세이스 TV는 월드와의 협상으로 광고 시간을 줄인 후, 조금씩 사람 수가 늘어나고 있었다.

반응은 얼마 지나지 않아 나타났다.

—세이스 TV에 가 보세요. 미친 영상 하나 올라왔어요.

—이거 찍은 카메라 뒤에 관객들 있습니다. 제가 봤어요. 꿈에서요.

—전 이걸 퇴근 시간에만 듣습니다. 왜냐고요? 시집 못 간 대리님의 히스테리를 정화해 주거든요.

긍정적인 반응이 있으면, 부정적인 반응도 있게 마련이다.

—1시간짜리 광고 잘 봤습니다.

—생각보다 별로였음. 연출한 느낌이 강함.

—콘서트도 이 수준이라면 절대 보러 가고 싶지 않네요. 목소리는 째지고, 연주는 절고…….

소수는 다수에 의해 구박받기도 했다.

—핸드폰으로 찍었잖아요. 사회에 불만 많아요?

—어디가 째진다는 거? 님 귀가 째진 거 아님? 화음 장난 아니고, 박자도 딱딱 맞았음. 나 음대 2학년 절대음감임.

—지예에서 알바 나왔나 봄.

영상은 SNS와 기사 등 여러 방면으로 퍼져 갔다.

♪♪♪♪♪

한국에서도 손꼽히는 화장품 회사 네이처이모션 본사 이사실.

한기영 이사는 태블릿 PC를 보며 눈을 휘둥그레 떴다.

"……좋네. 사람들 반응도 좋고. 월드가 확실히 뭘 만들 줄 아네."

한기영 이사는 직원에게 태블릿 PC를 돌려주었다. 반응이 왔다고 생각했는지 직원은 말하는 톤을 높였다.

"이 정도라면 저희가 찾는 조건에 가장 부합하지 않습니까? 주요 타깃인 중국에서도 인기 많은 연예인이 많기도 하고……."

"그건 지예도 마찬가지지."

한기영 이사는 자리에서 일어나며 팔짱을 끼었다.

"영상 하나만으로 손을 댈지 말지를 결정할 수는 없어. 월드가 하는 공연은 규모가 너무 작아. 2만 5천 명이 될까 말까 한 수준인데, 지예는 적게 쳐도 10만 명이 넘어. 어디에 투자를 해야 할지는 뻔하잖아."

직원은 한기영 이사에게 얼굴을 가까이 들이밀었다.

"반대로 생각해 보면 그 사람들에게 확실히 우리 화장품을 각인시킬 수 있습니다. 10만 명에게 기억도 못 할 광고를 하는 것보다 나을 수도 있습니다."

"흠……."

한기영 이사는 잠시 생각하더니 팔짱을 풀었다.

"좋아, 다리를 놔봐. 일단 월드 쪽 사람들과 만나보고 결정하겠어."

월드 클래식 댄스팀 오디션이 있은 후 이틀이 지났다. 강윤의 손에는 최종 선발된 15명의 명단이 들려 있었다. 합격자들의 경력 사항에 유독 눈에 띄는 것이 있었다.

"MG 출신이 많군요."

새롭게 댄스팀장으로 일하게 된 인태성 팀장은 커피를 마시며 이유를 설명했다.

"MG 출신들이 기본기가 탄탄했습니다. 무엇보다 지예가 어떤 조건을 들이대도 흔들릴 가능성이 거의 없는 게 컸죠."

"하긴."

강윤도 인정했다. 그도 지예가 걸핏하면 사람들 빼가려는 게 신경 쓰였으니까.

하지만 걱정되는 것도 있었다.

"그래도 12명이 같은 출신이면 다른 3명이 적응하기 힘들지 않을까요."

한국에서 출신은 무시하지 못한다. 자칫 파벌이라도 생길까 걱정이었다.

인태성 팀장은 강윤을 빤히 바라보았다.

"실력을 최우선으로 선발한 결과입니다. 무엇보다 실력을 우선하는 곳이 월드잖습니까."

강윤은 어깨를 으쓱이곤 도장을 찍었다.

파벌이 생기든, 어쨌든 실력으로 뽑힌 사람들이다. 다 감당해야 할 것들이었다.

"인사팀에게 계약서 준비하라고 전달하겠습니다. 수고했습니다."

인태성 팀장이 나간 후, 가수들 서류들을 점검하는데 문 비서가 들어왔다.

"회장님, 네이처이모션에서 전화가 왔습니다. 아무래도 직접 받아보셔야 할 것 같습니다."

"누구라고 하던가요?"

"한기영 이사라는 분입니다. 회장님과 직접 통화하고 싶다고……."

강윤은 바로 통화 버튼을 눌렀다.

"네, 이강윤입니다."

—이강윤 회장님이십니까? 안녕하세요. 네이처이모션 중국 법인을 맡고 있는 한기영이라고 합니다.

강윤이 가지고 있는 투자, 협찬 리스트 최상위에 있는 사람이었다. 네이처이모션은 한국에서도 1, 2위를 다투는 화장품 회사였다.

매개가 없어서 연결이 쉽지 않았는데, 이렇게 연결이 되다니…….

간단한 말들이 오간 후 본론이 나왔다.

—이번에 세이스에 올라온 영상 인상 깊게 봤습니다. 경영진과 가수가 함께 노래하는 모습이 참 보기 좋았습니다.

"우연히 나온 그림이 괜찮아서 올려본 건데, 좋게 봐주셔서 감사합니다."

—하하하. 그런 분위기는 배울 만하죠. 아, 이럴 게 아니라 같이 식사나 하면서 이야기하고 싶은데. 괜찮을까요?

거절할 이유가 없었다. 다음 날 저녁에 만나자는 약속을 잡고 통화를 마쳤다.

이현지에게 네이처이모션 이사와 약속을 잡았다는 사실을 알리자 톤이 확 올라갔다.

—네? 엉덩이가 무겁다고 소문난 사람인데…… 영상을 어지간히 좋게 본 모양이네요.

"한기영 이사는 어떤 사람입니까?"

전화기에선 잠시 말이 없었다. 다시 들려온 이현지의 목소리는 진중했다.

—신중한 사람이에요. 하지만 행동은 빠르죠. 최근 몇 년 사이에 중국 사업을 크게 성공시킨 장본인이에요. 네이처이모션 회장이 중국 법인에 전권을 줄 정도로 신뢰하는 인물이죠.

"만만한 사람은 아니겠군요. 중국 쪽 입맛 맞춰가며 사업한다는 게 보통 어려운 게 아닌데……."

능력도 있고 신중하다. 상대하기 어려운 유형이었다.

통화를 마친 강윤은 문 비서에게 네이처이모션과 한기영 이사에 관한 자료를 구해오라고 했다. 모처럼 한산했던 책상이 다시 서류로 북적댔다.

다음 날, 저녁.

약속 시간이 되자 강윤과 이현지는 신사동에 있는 고급 와인바로 향했다.

20분 전에 도착했는데 한기영 이사와 홍보실장 김기철이 먼저 도착해 있었다. 말끔히 다린 정장에 정돈된 짧은 머리까지 흠잡을 구석이 없었다.

강윤은 긴장을 감추는 미소와 함께 손을 내밀었다.

"안녕하십니까, 이강윤입니다."

"반갑습니다, 한기영입니다."

가볍게 쥔 손이 이상하게 아파왔다. 부드러운 눈빛에선 힘이 느껴졌다.

자리에 앉자 탐색전이 시작됐다. 단연 공통 화제는 중국 사업이었다. 포문은 홍보실장 김기철이 열었다.

"중국 고객들은 매력이 있어요. 한 사람이 상품을 들었다 놨다 하고 있으면 그대로 놔둬야 합니다. 곧 다른 사람이 호기심을 갖고 오니까요. 두 사람이 같은 상품을 보고 있으면 또 한 사람이 오죠. 그러면 그날 장사는 다 했다고 봐도 됩니다."

이현지가 맞장구를 쳤다.

"그 상품들은 묶음으로 파나요?"

"맞습니다. 처음엔 5개로 묶었다가 최근에 10개 단위로 묶어서 팔기 시작했는데 반응이 좋더군요."

"제가 제안 하나 해볼까요? 브로마이드를 하나씩 끼워주는 건 어떨까요?"

김기철 실장이 흥미를 보였다.

"오오, 그거 정말 괜찮겠는데요? 브로마이드라. 민진서 브로마이드라도……."

이현지가 분위기를 끌어가고 있었다. 그걸 안 한기영 이사는 잔을 들며 맥을 끊었다.

"하하하. 건배할까요?"

반갑다는 말과 함께 네 사람은 와인잔을 부딪혔다. 잘 끌어가던 분위기가 살짝 어그러졌다.

한기영 이사는 잔을 내려놓으며 강윤 쪽으로 눈을 돌렸다.

"세이스에 올라온 영상은 참 좋았습니다. 가수와 경영진이 같이 노래를 한다라. 분위기가 아주 좋았어요. 홍보는 그런 식으로 해야죠. 핸드폰으로 촬영해서 더욱 자연스러웠어요."

말은 부드러웠지만 연출된 것 아니냐는 뉘앙스가 풍겼다.

강윤은 여유롭게 웃었다.

"하하하. 맞춰보시겠습니까?"

"후후. 글쎄요. 전 잘 모르겠더군요."

한기영 이사는 잔으로 입가를 가렸다. 이현지가 강윤을 보며 능청을 떨었다.

"전 영상을 찍는 것도 몰랐어요. 가수들도 기사가 나서야 알게 됐죠. 덕분에…… 카드값 좀 나가시지 않았나요?"

"하하. 덕분에 초상권 교육 제대로 받았습니다."

연출이 아니라는 걸 간접적으로 밝히며 강윤도 맞춰 너스레를 떨었다.

와인잔이 부딪히는 맑은소리와 함께 분위기는 무르익어 갔다. 모두의 얼굴에서 적당히 취기가 올랐을 때, 한기영 이사가 말했다.

"짐작하고 있겠지만 우린 월드와 좋은 인연을 맺고 싶습니다."

강윤과 이현지는 잔을 내려놓았다. 이후가 중요했다. 한기영 이사의 표정에서 웃음기가 사라졌다.

"하지만 망설여지는 것도 사실입니다. 물론, 이번 콘서트에 한해서이지만요. 월드와 지예, 두 회사가 하는 콘서트를 보면 단연 지예의 콘서트가 더 큰 건 사실이니까요."

"대부분 그렇게 생각하고 있죠."

이현지도 동의했다. 한기영 이사는 그녀와 눈을 마주했다.

"그렇게 말하는 건, 실상은 아니라는 거군요."

"자화자찬 같지만 아니라고 말씀드리고 싶습니다."

김기철 실장이 말을 보탰다.

"규모를 놓고 보면 월드는 40억, 지예는 100억 규모입니다. 관객 수를 봐도 월드는 2만 명, 지예는 약 11만 명이죠. 둘 다 매진이라는 가정을 한 거지만요. 차이가 확연한데도 이 자리에 나온 건 영상에서 본 월드의 분위기를 이사님이 아주 좋게 느끼셨기 때문입니다."

한기영 이사는 묵묵히 고개를 끄덕였다. 더 나은 걸 보여 달라는 간접적인 압박이기도 했다.

강윤은 한기영 이사 쪽으로 의자를 끌었다.

"공연 예산의 60%. 24억 정도를 투자해 주시겠습니까?"

"……네?"

뚱딴지같은 말이었다. 투자 가치를 의심하고 있는데 요지는 알아듣긴 한 건지.

한기영 이사가 혀를 차는 가운데, 김기철 실장이 답했다.

"회장님, 아직 저희는 투자를 결정한 게 아닙니다. 일단……."

"민진서와 이혜미를 이번 신상품 모델로 계약하겠습니다."

"헙……!!"

김기철 실장은 눈이 휘둥그레졌다. 민진서는 돈이 있어도 구하지 못하는 모델이었다. 아무리 거액의 모델료를 불러도 함부로 촬영하지 않기로 유명했다. 사실상 히든카드나 마찬가지. 거기에 이제 막 뜨기 시작한 이혜미까지…….

한기영 이사도 눈매를 좁히는 가운데 강윤은 말을 이어갔다.

"하야스 백화점과도 자리를 주선해 보겠습니다. 이번에 명품 브랜드 입점도 준비하신다고 들었습니다만."

"크흠……."

지금 하야스 백화점의 명품관은 자리가 없어서 못 들어간다. 하야스 백화점의 류양 이사와 이강윤이 친밀한 관계라는 건 이미 알고 있었다. 중국에선 꽌시 없이 사업하긴 힘들다.

처음으로 한기영 이사의 표정이 흔들렸다. 욕심은 났지만 망설여졌다.

'속셈이 뭐지?'

상대의 카드는 짐작했지만 한 번에 다 던져 버릴 줄이야.

그만큼 이 콘서트가 중요하다는 말일까? 아니면, 다른 속셈이 있는 걸까?

한참을 생각하던 한기영 이사는 침중한 얼굴로 말했다.

"좀 더…… 시간을 주시겠습니까? 당장 결정하는 건…… 힘들군요."

강윤은 고개를 끄덕였다.

일주일 후, 확답을 주기로 하고 그날의 모임은 끝이 났다.

구로 피달레 센터는 지어진 지 1년도 안 된 다목적 홀이다. 서울시에서 여러 가지를 고려해 만든 야심작이었다.

평소에는 농구, 배구 등 실내 경기장으로 쓰였다. 대여를 통해 공연도 이루어져야 했지만 팍팍한 규정 탓에 제대로 공연이 이루어진 적은 없었다.

덕분에 공호진 연출가는 고생에 고생을 더해야 했다.

"……죄송해요. 화약 사용 허가를 못 받았어요. 일단 샷(금은박 테이프) 쏠 자리는 봐놨고요. 청소요? 그건 일단……."

특수효과 감독과 쩔쩔매며 통화를 끝낸 뒤 한숨 돌리기가 무섭게 또 핸드폰이 울려댔다. 이번에는 음향 감독이었다. 굵직한 목소리가 불퉁하게 들려오자 공호진 연출가는 달래기에 바빴다.

"하얀달빛이 '완(完)' 편곡 버전을 안 보냈다고요? 3시까지 보낸다고 했는데…… 알았어요. 바로 연락해 볼게요."

빨리 편집 곡을 들어봐야 어떻게 PA(관객에게 쏘는 스피커)를 맞출지 알 수 있는데.

하얀달빛에게 연락해서 음향 감독의 민원을 해결한 후에도 그녀의 전화에선 계속 불이 났다.

그뿐만이 아니었다. 공연장에 있는 사람들은 무슨 일만 생기면 그녀를 찾아댔다. 덕분에 쪽방과 무대를 왔다 갔다 하느라 하루가 어떻게 가는지도 몰랐다.

점심도 먹지 못하고, 쪽방에서 한숨 돌리고 있는데 노크 소리가 들려왔다.

'그만 좀 찾아와…….'

이제야 연출 디테일 좀 검토해 보려는데, 이놈의 인기는 식을 줄 몰랐다. 그래도 별수 없었다.

그러나 공호진은 문이 열리는 걸 보며 활짝 웃었다. 어깨 넓은 남자가 들어섰다.

"회장님!!"

이전과 다른 진심이 나왔다.

기획자, 드디어 기획자가 왔다!!

강윤은 눈까지 그렁대는 공호진 연출가의 등을 다독였다.

"미안합니다. 투자 협찬 때문에 좀 오래 돌았네요."

"아니에요. 그나저나, 어떻게 됐나요?"

강윤은 네이처이모션 한기영 이사와 만난 결과를 이야기했다.

기다려야 한다는 말에 공호진 연출가는 어깨를 늘어뜨렸다가 이내 피며 큰 목소리로 말했다.

"회장님이 직접 나섰는데 당연히 잘되겠죠. 그럼, 갈까요?"

파이팅이 넘쳤다. 강윤은 웃으며 그녀와 함께 공연장으로 향했다.

강윤이 오자 한창 작업 중이던 스태프들은 작업을 멈추고 무대 아래로 내려왔다. 강윤은 고생한다며 격려한 후, 본론으로 들어갔다.

"효과 감독님. 화약하고 토치(불기둥) 쓸 수 있을 것 같습니다. 오늘 사용 허가받고 왔어요."

"진짜요? 바로 설치하면 됩니까?"

특수효과 감독, 이현민의 얼굴이 밝아졌다.

"네, 방염 작업만 철저히 해달라고 하네요. 여기서 콘서트가 처음이라 결정하는 데 시간이 좀 걸렸네요."

"알겠습니다. 방염이 뭔지 보여드릴게."

이어 장치팀 감독 장민석이 앞으로 나섰다.

"회장님, D 출입구에서 무대 쪽으로 와이어를 걸려고 하는데……."

강윤은 공호진 연출가의 등을 떠밀었다. 공호진 연출가가 강윤을 바라보자 손짓으로 답을 대신했다. 네 일이라는 의미였다.

"D 출입구에 거는 건 힘들다고 말했잖아요. F 출입구에 걸어달라고……."

"거기에 걸면 그림이 안 산다니까요."

"그림만 생각할 수 없어요. D 출입구에서 시작하면 경사가 심해져서 위험해요."

장치 감독은 툴툴댔지만 결국 수긍했다.

자유로운 분위기 속에 회의는 1시간이 넘도록 이어졌다.
회의가 끝난 후, 강윤이 카드를 꺼내 들었다.
"모두 고생하셨습니다. 모처럼, 가 볼까요?"
"이강윤!! 이강윤!!"
강윤에 환호하는 건지, 카드에 환호하는 건지는 모를 일이었지만 스태프의 사기는 높이 치솟았다.

♪♩♬♩♪♩♫♬♩♪

"……회식을 했다? 그렇군요. 자유롭지만 마냥 풀어진 것은 아니고…… 알겠습니다. 고생했어요."
한기영 이사는 통화를 마치곤 일어섰다.
"꾸며진 분위기는 아니라는 거군. 지금의 월드를 맨손으로 일궜다는 게 허명은 아니었어."
그는 책상 위의 검은 파일을 집어 들었다. '월드 스튜디오 이강윤'이라는 제목의 보고서였다.
서류를 빠르게 훑은 후 옆에 있던 서류를 들었다.
"도저히 이해가 안 가는군. 이 사람은 사업적 눈은 있는데 마인드가 형편없어. 중국 쪽 투자자들은 돈 냄새만 잘 맡는 건가."
'지예 강시명'이라는 이름의 서류를 넘기며 한기영 이사는 눈살을 찌푸렸다.
강시명은 당연히 성공한 사업가였다. 하지만 동업자였던 원진표를 댓글 조작 혐의로 이사회에서 축출해 버렸다는 내용을 보니 도무지 정이 가지 않았다.

"……김 비서, 전화 연결해 주겠나?"

시간은 더 있었지만 그녀는 결정을 내렸다.

환웅 올림픽 주경기장.

11만 명 이상을 수용 가능한 국내 최대 경기장이다. 근처에 지하철역이 2개나 있고, 왕복 10차선 도로에 버스 정류장까지 갖추어져 있어 접근성도 좋았다.

내부 시설은 말할 것도 없었다. 대여료가 비싸다는 것만 빼면 공연장으로 최고의 조건을 모두 갖추고 있었다.

높은 천장 위엔 스피커가 올라갔고, 무대 아래에선 기획팀 스태프들이 물을 돌리며 바삐 돌아다녔다. 현장 스태프들은 라인을 까느라 분주히 움직였다.

[등장할 때 동선을 좀 더 빠르게 해야 하는데…….]

더 빅 스테이지의 총괄 기획자, 이토 료타는 무대 감독 김영환과 함께 동선을 체크하고 있었다. 그의 옆에는 통역을 하는 기획팀 직원이 그림자처럼 따라다니고 있었다.

"동선을 더 짧게 하려면 대기실이 가까워야 합니다. 기존 대기실이 너무 멉니다. 이동 동선이 길어지면 체력 소모가 만만치 않을 겁니다."

[그렇다면 무대 뒤편에 대기실을 하나 더 짓는 건 어때요? 컨테이너 3개 정도 설치해서. 그러면 괜찮을 것 같은데?]

커튼이나 쳐 줄 줄 알았는데, 무대 감독으로선 반가운 일이었다.

연출가 류마 카이토도 관계자들과 스태프들을 모아놓고 회의를 진행하고 있었다.

"잠깐만요. 스크린 쪽에 레이저를 단다고 하셨습니까."

[네, 무슨 문제라도?]

레이저 설비업체에서 나온 사람은 얼굴을 쓸어내렸다.

"저번에 바닥에도 다 설치해 달라고 하셔서…… 돈이 어마어마하게 들 것 같습니다만."

[괜찮습니다. 우선 그림이 나와야죠.]

스태프들이 웅성댔지만 연출가 류마 카이토는 평이했다.

'……아주 들이붓는구나.'

'그림 하난 끝내주겠네.'

그림에 올인이라도 한 건지.

예산을 관리하는 기획팀 스태프는 울상이었다.

같은 시간, 강시명은 현장에 방문한 협찬 투자자들을 안내하고 있었다.

[믿어주신 덕분에 모든 게 착착 준비되어 가고 있습니다.]

돈을 쓰는 사람이 항상 갑인 법이다. 그들은 누가 봐도 '갑이다'라는 걸 알 수 있게 포스를 뿜으며 공연장을 돌았다.

강시명의 입은 꿀이라도 바른 양 달달하게 열릴 때, 앞에 있던 젊은 남자가 찬물을 끼얹었다.

[좋군요. 그래도 아쉬워요. 대륙에도 좋은 기획자와 연출가가 많은데…….]

하여간, 그놈의 중화……. 왜 그 말이 안 나오나 했다.

중국에서 사람 쓰면 투자자들이 좋아한다는 거, 당연히 알고 있었다. 장비부터 콘티까지 모조리 베껴 대니 안 쓴 것뿐이었다.

[하하하. 오래전부터 이야기가 오갔던 사이라서 말입니다. 이 업계도 관계란 건 중요하잖습니까. 상무님 말씀은 꼭 새겨놓도록 하겠습니다.]

마음의 소리와 다른 말을 내뱉으며 강시명은 사람 좋게 웃었다.

현장 답사가 끝난 후, 투자자들은 경기장을 나섰다. 모두가 만족하는 분위기였다.

조용히 주변을 둘러보던 민머리 이사가 강시명에게 물었다.

[월드는 어떻게 한답니까? 규모는 형편없이 작다지만…… 이상하게 신경 쓰이네요. 날짜 겹치는 것도 그렇고…….]

다른 사람들도 궁금하긴 마찬가지였다. 모두의 시선이 강시명에게로 쏠렸다. 잠시 머뭇대던 강시명은 입가를 그윽하게 들어 올렸다.

[걱정하지 않으셔도 됩니다. 이강윤은 기획사 사장으로선 실격인 치명적인 결함이 있으니까요.]

모두의 얼굴에 궁금함이 어렸지만 강시명은 더 이상 입을 열지 않았다.

월드와 네이처이모션의 협찬 투자 계약이 체결됐다.

네이처이모션은 투자는 물론, 콘서트를 보러 온 모든 관객에게 핸드크림과 선크림을 제공하기로 했다.

월드는 민진서와 이혜미의 네이처이모션 중국 신상품 모델 계약과 함께, 하야스 백화점 류양 이사와의 자리도 주선했다.

월드, 네이처이모션, 세이스 세 회사의 합작 투자로 콘서트 자금 문제와 실패에 따르는 리스크는 깔끔하게 사라졌다.

"수고했어요."

네이처이모션 측과 도장을 찍고 돌아온 이현지는 소파에 철푸덕 주저앉았다.

강윤도 맞은편에 앉아 힘없이 어깨를 늘어졌다.

"고생하셨습니다. 이제 큰 산 하나는 넘었네요."

"……그러게요. 이제 남은 건 뭐죠? 티켓팅인가요?"

"조금 있다가 생각합시다……."

강윤이 고개를 절레절레 흔들자 이현지는 동의하고 눈을 붙였다.

10분 정도 지났을까. 늘어져 있던 강윤이 자세를 바로 하고 일어났다. 이현지도 깨어나 목을 돌렸다.

"슬슬 티켓팅 날짜를 정해야겠군요."

강윤은 달력을 집어 들었다. 이현지도 동의했다.

"그래야죠. 느낌이긴 한데, 먼저 티켓팅 일정을 정하면 지예가 또 따라붙을 것 같네요."

"그렇게까지 하진 않을 겁니다. 그랬다가는 여론의 비난을 면치 못할 겁니다."

지예가 벌인 콘서트 규모가 훨씬 컸다. 날짜도 겹친다. 여기에 티켓팅 날짜까지 겹치면 사람들이 뭐라 하겠는가. 아무리 라이벌을 이기기 위한 수단이라고 해도, 정당하지 못하다며 역효과가 날 수도 있었다.

"하긴, 그런 수단을 쓰기에는 이젠 한계죠. 아무튼 지긋지긋하네요, 따라쟁이들."

"풋."

강윤은 웃음을 터뜨렸다. 평소에 냉정하던 이현지가 그렇게 한마디씩 던질 때면 절로 웃음이 나왔다.

두 사람은 티켓팅에 적합한 날을 체크했다.

결정된 날짜는 3주 후, 수요일이었다.

이현지는 탁상 달력을 집어 그 날짜에 동그라미를 쳤다.

"세이스를 통해 선 오픈하고, 금요일에 정식 오픈하는 거였죠?"

"네, 그리고 세이스 TV에서 유료로 생방송도 진행할 겁니다."

"알겠어요. 카메라는 그쪽에서 제공하기로 했었나요?"

강윤은 고개를 끄덕였다.

이야기를 나누다 보니 어느새 해가 뉘엿뉘엿 지고 있었다. 피로감이 찌든 얼굴을 흔들어 대며 이현지가 자리에서 일어났다.

"오늘은 일찍 들어가 볼게요. 조금이라도 쉬어야겠어요."

"네, 내일 뵙죠."

"회장님은…… 아, AHF."

이현지는 고개를 절레절레 흔들었다.

밥 버스 오프닝 촬영 때문에 하경락 PD가 방문한다고 했었다. 방송국 실세인 김재호 부사장도 함께 온다고. 덕분에 강윤도 공연장으로 가야 했다.

연장 근무였지만 강윤은 웃었다.

"항상 하던 일입니다. 푹 쉬십시오."

미안해하는 이현지와 헤어진 후 강윤은 회사를 나섰다. 문 비서가 운전하는 차에 올라 공연장으로 가는데 문제가 생겼다.

"문 비서, 우회전 차선을 타야죠. 그쪽으로 가면 종로예요."

"아, 맞아!!"

나들목을 나와 우회전 차선을 타야 했는데 직진 차선을 타 버렸다. 덕분에 차는 직진, 퇴근길 종로로 진입하는 사태가 벌어졌다. 한국 최고의 교통지옥으로 입성해 버린 것이다.

강윤이 바쁘다는 걸 누구보다도 잘 알기에 문 비서는 고개도 들지 못했다.

"죄송합니다, 회장님. 저 때문에……."

"일단 여기부터 벗어나죠. 거기 골목으로 들어가서……."

강윤은 직접 길 안내에 나섰다.

언덕을 오르고, 차가 한 대밖에 지나가지 못할 좁은 길도 지나다 보니 빠르게 종로를 벗어날 수 있었다.

"우와, 회장님. 이런 길도 있었어요? 역시, 회장님은……."

뒤편에 펼쳐진 교통지옥을 바라보며 문 비서는 탄성을 질렀다.

“앞, 앞.”

“넵!!”

허둥대는 문 비서를 보니 강윤의 머릿속에 운전대를 잡고 시간 싸움을 벌이던 매니저 시절이 떠올랐다.

‘시간 참 빠르네.’

상념에 잠겨 있다 보니 차는 공연장 앞에 도착했다. 시간을 보니 다행히 지각은 아니었다. 서둘러 안으로 들어갔다.

무대 위에선 인문희가 동선을 체크하고 있었고, 아래에선 ‘AHF’라고 적힌 카메라가 놓여 있었다. 하경락 PD는 모니터를 통해 이를 지켜보고 있었다.

한쪽에선 공호진 연출가가 AHF 방송국의 김재호 부사장을 상대하며 진땀을 빼는 중이었다. 방송국에 자주 들락거린 그녀로선 방송국 부사장인 김재호는 상대하기 쉽지 않은 사람이었다.

“회장니임~!!”

자기도 모르게 감정이 들어가 버렸다. 그 외침이 천진하게 느껴져 김재호 부사장은 피식 웃음을 터뜨렸다.

강윤은 공호진 연출가를 다독이곤 그에게 다가갔다.

“차가 막혀서 조금 늦었습니다. 부사장님, 오랜만에 뵙습니다.”

김재호 부사장는 강윤과 손을 맞잡았다.

“하하하. 회장님, 오랜만에 뵙네요.”

공호진 연출가가 쪽방으로 들어간 후 강윤은 김재호 부사장와 함께 무대 쪽으로 향했다.

"다음 주 밥 버스 오프닝 때문에 오셨다고 들었습니다."

"구경도 할 겸, 겸사겸사 와봤습니다. 요새 유리가 효녀 역할 톡톡히 하잖습니까."

김재호 부사장이 웃자 강윤도 마주 웃었다.

밥 버스 방송이 시작되고 인문희에겐 '꿀잠녀'부터 '노옙퍼서른 살' 등 수많은 타이틀이 붙었다.

알람 10개를 맞춰놔도 제시간에 못 일어나고, 잘하지도 못하는 랩을 했다가 큰 웃음을 주는 등 온몸 바쳐 캐릭터를 만들어냈다. 구수한 트로트 가락으로 분위기까지 잘 띄우니 인기가 고공 행진했다.

타이밍 좋게 월드는 인문희의 미니 앨범도 냈고, 결과는 인문희의 바쁜 스케줄로 나타났다.

카메라를 향해 브이를 그리는 인문희를 보며 김재호 부사장은 턱에 손을 올렸다.

"마침 회장님도 만났으니 잘됐습니다. 숟가락 좀 얹어야겠습니다."

"하하하. 너무 노골적인 것 아닙니까?"

강윤은 웃으며 그를 사무실로 안내했다.

김재호 부사장은 월드의 콘서트를 AHF에서 방송하기를 원했고, 강윤도 긍정적으로 답했다.

추가적인 건 실무자들끼리 논의하기로 하고 결론을 맺었다.

하나하나, 필요한 것들이 갖추어져 가고 있었다.

월드에서 가장 바쁜 사람 누구 뭐래도 강윤이었다. 국내외를 누비며 경영과 현장 모든 곳에서 두루 활약하는 월드의 핵심이었다.

그다음으로 바쁜 사람은 민진서였다.

월드에 가장 많은 수익을 가져다주는 연예인이기도 한 그녀는 일본, 중국을 넘어 베트남까지 진출했다. 전용기를 타고 아시아 전역을 누벼 배우 지망생들에겐 우상과도 같은 존재였다.

중국 시간으로 아침 6시 30분. 월드의 전용기, G320은 베이징 상공에 있었다.

"……언제 봐도 결론이 마음에 안 들어."

'금지된 사랑'이라고 적힌 책의 마지막 페이지를 덮으며 민진서는 한숨지었다.

책을 밀어놓고 쉬려는데 착륙을 알리는 방송이 흘러나왔다. 벨트를 매고 잠깐 어지러움을 느끼고 나니 베이징 공항이었다.

민진서는 편한 츄리닝에서 데님 셔츠로 갈아입었다. 협찬이 들어온 의상이었다.

매니저를 앞세우고 게이트를 나서니 공안들이 잔뜩 긴장한 얼굴로 대기하고 있었다. 여느 때처럼 민진서는 그들을 향해 미소 지었다.

[…….]

'흐음?'

평소라면 가볍게라도 웃어주던 이들이 오늘따라 더욱 무표정했다. 이상한 느낌이 들었지만 매니저의 재촉에 서둘러 수속을 마치고 입국장에 들어섰다.

[와아아아아---!!]

수많은 팬의 외침이 들려왔다. 여느 때와 다름없는 환호성에 민진서는 손을 들어 답했다.

[민진서다!!]

[야!! 붙어!!]

매니저가 이상한 기류를 느끼곤 민진서에게 바짝 붙었다. 민진서도 이상한 분위기를 느끼곤 매니저 뒤에 숨었다. 평소라면 손만 흔들어도 환호했을 사람들이 이상하게 격앙된 느낌이었다.

마치 성난 군중처럼.

'진서야, 빨리 가자. 공안들도 빨리 가래.'

'알았어요.'

민진서 일행의 걸음이 빨라졌다.

[배신자!! 네가 어떻게…….]

공항을 빠져나가는데 공안 뒤에 있던 군중들의 거친 소리가 들려왔다.

'배신자?'

이상한 생각이 들었다, 배신자라니.

서둘러 공항을 나서 대기하던 차에 오르려는데 모자를 깊이 눌러쓴 남자가 민진서에게 다가왔다.

[진서 씨, 소속사 회장이랑 사귄다던데, 사실입니까?]

[네? 그게 무슨……?]

다짜고짜 달라붙은 남자를 매니저가 떼어내는 사이, 민진서는 서둘러 차에 올랐다. 뒤에서 군중들의 웅성대는 소리가 더욱 커져 갔다.

다행히 일행은 무사히 공항을 빠져나갈 수 있었다. 그제야 스태프들은 안도의 한숨을 내쉬었다.

"다행이다. 진서야, 일단 호텔에 가 있자. 사장님께 보고하고, 오늘 스케줄은……."

매니저가 민진서를 달래고 있는데 뒤에서 핸드폰을 하던 스타일리스트가 소리쳤다.

"진서야!! 너 기사 떴어!!"

"이상한 거라도 떴어요?"

"참나, 어이가 없어서. 완전 개어이. 이강윤 회장님이랑 너랑 사귄다는 기사야. 잠깐. 뭐, 뭐야, 이 사진은? 진짜 진서 같……."

민진서는 스타일리스트에게서 달려들어 핸드폰을 뺏어 들었다.

–민진서♡이강윤, 배우와 소속사 회장의 몰래 한 사랑. 비밀 데이트 현장…….

자극적인 제목과 함께 사진 한 장이 게재됐다. 한참 전에 대학교에서 강윤과 함께 손을 잡고 걷던 사진이 찍혀 있었다.

"하……."

민진서는 그대로 차 바닥에 철푸덕 주저앉았다.

4화

커밍아웃

월드가 세이스와 제휴를 맺은 바다 런칭 건 이후로 연예계에는 큰 사건이 없었다.

심지어 간간이 터져 나오는 도박이나 음주운전 같은 사건도 없었다. 기자들 사이에선 그동안 모아두던 찌라시들까지 터뜨려 보자는 말도 있을 정도로 가뭄이었다.

그중에서도 10월은 유독 조용했다. 폭풍 전야의 고요함처럼.

이 같은 시기에 터져 나온 민진서의 열애 소식은 기자들에겐 가뭄의 단비와도 같았다. 그것도 승승장구하던 소속사 회장과의 열애 소식이라니.

중국의 유명 연예 월간지, '연예소식9'에서 시작된 기사는 인터넷을 타고 여기저기로 퍼져 나갔다. 게다가 한국의 유명 대학교에서 강윤과 민진서가 손을 잡고 걷는 사진까지 실려 있어 부정할 수도 없었다.

"지금 당장은 드릴 말씀이 없어요. 네? 사진에 나온 남자가 회장님 아니냐고요? 김 기자님, 저희도 확인을 해봐야 하니까요. 나중에, 나중에 말씀드릴게요."

기사가 터지자마자 월드 스튜디오는 걸려오는 전화로 업무가 마비되었다. 기자는 물론이요, 성난 팬들까지…… 전화량은 상상을 초월했다.

이츠파인 서버 대란이 있던 때와도 비교조차 힘들 정도였다. 4개 회사 모두 홍보팀은 물론이고 예산팀이나 회계팀까지 전화와의 전쟁을 치르고 있었다.

전화도 문제였지만 진짜 문제는 따로 있었다.

"설마 했었죠. 진서 행동이 이상하긴 했지만 회장님은…… 하아."

소파에 앉은 이현지는 커피가 식도록 머리만 부여잡았다. 인문희 일로 일본에 갔다가 열애설 기사를 접한 이현지는 모든 일정을 취소하고 회사로 달려왔다.

강윤은 미안한 기색을 감추지 못했다.

"미안합니다. 이사님에게만은 말하려고 했는데……."

"언제요?"

이번만큼은 할 말이 없었다. 미루고, 미루다가 이렇게 되고 말았으니까

이현지는 식어버린 커피를 탁자 끝으로 밀어버리곤 고개를 떨궜다.

"진서는…… 이해할 수 있어요. 어리기도 하고, 연습생 때

부터 유독 회장님을 따랐으니 감정이 발전할 수도 있죠. 하지만 회장님은 어른이잖아요? 게다가 연예인이 상품이란 걸 누구보다 잘 아는 사람이잖아요. 그런데 어떻게……."

실망감 때문일까. 이현지는 고개를 들 수 없었다. 믿는 도끼에 발등을 제대로 찍힌 기분이었다.

이현아가 끈질기게 따라다녀도 밀어냈다는 걸 알고 있었다. 연예인과 명확히 선을 긋는 프로 의식이 존경스럽기까지 했는데…… 기대치가 높으면 실망감도 큰 법이다.

"……당분간 콘서트는 제가 맡죠."

알아서 수습하라는 말이었다.

강윤은 고개를 끄덕였다.

이현지는 평소와 달리, 인사도 없이 나가 버렸다. 그녀의 자리엔 식어버린 커피만이 덩그러니 남아 있었다.

"……그래, 언제까지 숨길 수는 없는 거지."

강윤은 기지개를 켰다. 언젠가는 밝혀야 할 이야기가 빨리 알려진 거다.

이제부터가 중요했다. 먼저 민진서의 매니저에게 전화를 걸었다. 직접 걸 수도 있었지만 현장 직원들에게 고운 시선을 보낼 리 없으니.

—……일단 강 사장님이 지시하신 대로 했습니다. 진서 핸드폰은 제가 가지고 있습니다. 인터넷도 못하게 조치했고요. 뺄 수 있는 스케줄은 다 뺐지만…… 네이처이모션과의 CF는 어떻게 할 수 없었습니다.

매니저는 차근차근 상황을 설명했다. 이미 강기준이 할 수 있는 최선의 조치를 취해놓았다. 강윤은 안도의 한숨을 내쉬었다.

"……수고했습니다. 진서 잘 다독여 주십시오."

-알겠습니다. 그런데 그…… 기사 말입니다. 정말…… 사실입니까?

뜻밖의 폭탄이 날아들었다. 강윤은 잠시 머뭇대다가 답했다.

"……조만간 공개적으로 말하겠습니다, 그럼."

통화를 마친 후 강윤은 강기준에게 전화를 걸었다. 비상사태인데도 강기준은 침착했다.

-……일단 C&C 직원들은 잘 다독여 놨습니다. 일단은 사태 수습이 우선이니까요. 그나저나 회장님. 저…….

하지 못한 뒷말에서 열애설이 사실이냐고 묻고 있었다.

"당장은…… 말하기가 어렵습니다. 조만간 알려드리겠습니다."

-……알겠습니다.

뭔가 있다는 걸 느꼈는지 강기준은 굳은 목소리로 통화를 마쳤다.

이후 강윤은 각 부서장들과 통화하며 상황을 파악했다. 직원들은 하나같이 민진서와의 연애설이 진짜냐고 물어왔지만, 강윤은 같은 말을 반복했다.

'힘들군.'

오늘만큼은 월드의 자유로운 분위기가 고역이었다.

그날 저녁, 강윤은 선약이 잡혀 있던 네이처이모션의 한기영 이사와 만났다.

"갑자기 이런 기사가 터지다니…… 유감입니다."

한기영 이사는 인상을 구기며 고개를 저었다.

강윤은 잔을 채워주며 답했다.

"사업에는 영향이 없도록 하겠습니다."

"잘 수습됐으면 합니다. 그나저나 회장님도 당사자던데…… 남의 입에 오르내리는 게 보통 일이 아니죠. 힘드시겠습니다."

강윤은 씁쓸히 웃었다. 광고주에게 위로를 받는 꼴이라니.

"……심려를 끼쳐서 죄송할 뿐입니다."

11시쯤 돼서야 두 사람은 헤어졌다.

집에 도착하니 이미 자정이 넘은 시간이었다. 기사 노릇을 한 문 비서를 보낸 후 대문 앞에 섰다.

'다들 자나 보네.'

다행히 집의 불은 꺼져 있었다. 유독 힘든 하루였다. 오늘은 누구도 만나고 싶지 않았다.

"……저기요?"

익숙한 목소리가 들려왔다. 눈을 돌리니 대문 앞에 쪼그려 앉아 있던 여성이 눈에 들어왔다.

"정민아?"

"……."

강윤의 눈이 휘둥그레졌다. 후드를 깊이 눌러쓴 여성, 정민아였다. 지금 시간이면 중국 귀양시의 호텔에 있어야 할 녀석인데.

"왜 그렇게 봐요? 여기 있어야 할 사람이 아니라서?"

"내일 귀양시에서 스케줄 있잖아. 설마 스케줄을 펑크 낼 생각이야?"

귀양시는 중국 남서부 내륙에 위치한 비행기로도 4시간 이상 걸리는 먼 곳이었다.

강윤의 눈빛이 예리해졌지만 정민아는 코웃음을 쳤다.

"알아서 잘 갈 거니까 걱정 말고, 묻는 말에나 대답해 줘요."

"……."

"이전에, 내가 취향이 아니라고 했던 거…… 진서 때문이었어요?"

강윤은 눈을 감았다. 사실이었으니까.

금세 정민아의 눈이 그렁그렁해졌다.

"진짜 너무하잖아. 내가 진서…… 걔보다 못할 게 뭐 있다고."

"……민아야."

"……차라리 말이라도 해주지. 나쁜 놈."

계속 흐느끼는 정민아를 보고도 강윤은 아무것도 하지 못했다.

아니, 하지 않았다. 그렇게 하는 것이 미련을 저버리는 가장 좋은 방법이었으니까.

[세이스 실시간 급상승 검색어]

1. 민진서

2. 민진서 이강윤

3. 민진서 사내 연애

NEW. 더 빅 스테이지 티켓팅

5. 노예 서른 살

이틀째 민진서의 열애설은 가라앉을 기미를 보이지 않았다.

그런 가운데 지예가 주관하는 콘서트, 더 빅 스테이지의 티켓팅이 시작됐다.

국내 최대 규모의 콘서트라는 마케팅에 이끌렸는지 수많은 사람이 관심을 보였고, 이는 실시간 검색어로 나타났다. 순식간에 4위에서 3위, 1위까지 치솟으며 열애설을 밑으로 끌어내렸다.

티켓도 1시간 만에 매진됐다.

"이게 타이밍이지!! 하하하하하!!"

모니터의 빽빽한 붉은 좌석들을 보는 강시명 사장의 얼굴엔 웃음이 연신 피어났다.

한창 기분 좋게 일을 하던 중 노크와 함께 비서가 들어왔다.

"사장님, 연예소식9에서 전화가 왔습니다. 지위강이라고 하면 알 거라고……."

강시명의 얼굴에서 웃음기가 가셨다. 통화 버튼을 누르니 거친 목소리가 사장실을 울렸다.

[하하하. 사장님, 잘 지내셨습니까?]

[아이고, 편집장님. 보내주신 선물 아주 잘 받았습니다.]

전화기에서 큰 웃음소리가 터져 나왔다. 강시명은 눈살을 찌푸리다가 원래의 미소를 되찾았다. 한참 동안 자랑 섞인 시답잖은 이야기들이 오가다가 상대방은 본론을 말했다.

[계좌는 문자로 보내겠습니다.]

[뭐, 그렇게 하시죠.]

화장실을 들어갔다가 나오면 달라지는 법.

강시명의 반응은 뜨뜻미지근했다. 그걸 아는지 모르는지 상대방의 정신없는 톤은 변화가 없었다.

통화를 마친 후 강시명의 눈빛이 가라앉았다.

"……찌라시 주제에, 돈독만 올라가지곤."

사람 심리는 묘한 구석이 있다.

열 가지를 못 해도 한 가지만 잘하면 칭찬을 받고, 열 가지를 잘하다가 한 가지를 못하면 욕을 먹는다.

강윤이 딱 그런 경우였다.

민진서의 열애설이 터진 지 3일이 지났지만 월드는 침묵으로 일관했다. 항상 명확한 입장을 취해왔던 이전과는 완전히 다른 모습이었다.

반응이 없으니 갖가지 추측이 난무했다. 강윤이 민진서를 가지고 놀았다는 말부터 임신이라는 말까지 나오고 있었다.

이런 루머에는 월드 직원들이 강하게 대응하겠다고 입장

을 밝혔지만 당사자들에게 공식 입장이 나오지 않아 힘이 없었다.

직원들도 진실을 알지 못해 답답했다. 항상 중심축이 되어 주었던 강윤이 흔들리고 있으니…….

그나마 다행인 건 콘서트는 예정대로 진행되고 있었다는 것이다.

"이사님, 어제 말씀하셨던 허락받은 영상 저작권 리스트입니다."

공연장에서 사무실. 다른 말로 쪽방.

기획팀 직원은 이현지에게 서류를 올렸다. 물론 강윤 대신이었다.

그녀는 사인을 하고는 서류를 구석으로 밀어 넣었다. 그 모습을 물끄러미 바라보던 직원이 물었다.

"저, 이사님, 회장님은…… 괜찮으십니까?"

이현지는 웃으며 고개를 끄덕였다.

"네, 괜찮아요."

민망할 정도로 똑 부러진 답에 직원은 민망해했다.

그가 나간 후 이현지는 한숨을 내쉬었다.

"……언제까지 여기 있을 순 없는데. 아무리 강윤 씨라도 이번 건…… 쉽지 않겠지?"

공사가 끝난 무대는 갖가지 조명이 반짝였다.

관객석 중앙, 무대가 가장 잘 보이는 곳에 선 공호진 연출가는 콘티와 무대를 번갈아 봤다.

무대 위에선 이준열이 댄서팀과 함께 드라이 리허설을 진행 중이었다.

"공 누나!! 오른쪽 너무 밝아!!"

이준열의 요청에 맞춰 공호진은 조명 감독과 함께 스포트라이트를 비롯한 조명들을 조절했다.

무대 뒤편의 대기실에선 디에스와 김지민이 대화를 나누고 있었다.

"지민아, 그, 팀장님하고 진서는 정말 사귀는 거 맞니?"

김진경이 천진하게 묻자 김지민은 난감한 표정으로 웃기만 했다. 윤혜린이 김진경의 옆구리를 찔렀다.

"야, 곤란하다잖아. 그리고, 설마 회장님이 그랬겠어? 진서야 모르지만."

"그런가? 근데 궁금하긴 하다. 그치?"

말은 그렇게 했지만 윤혜린도 궁금하긴 마찬가지였다.

이현지가 공연장 분위기를 잡고 있어 동요는 적었지만 공연장도 강윤과 민진서에 대한 말이 돌고 있었다.

"거기, 고만고만들, 안 들어가냐?"

"아, 진짜."

이준열이 대기실에 들어서며 외치자 디에스 멤버들은 인상을 썼다.

"이준열, 너 그렇게 말하지 말라고."

"오빠라고 해라."

"너부터 잘해. 오빠답게 굴어야 오빠라 부르지."

김진경은 구시렁대며 무대로 나갔고 윤혜린도 이준열을 째려보곤 뒤를 따랐다.

디에스 멤버들이 나간 후, 이준열은 소파에 털썩 주저앉았다.

"야, 너."

"……네, 선배님."

김지민은 바짝 기합이 들어 자리에서 일어났다.

이준열은 피식대곤 말을 이어갔다.

"강윤이 형이 그 여자애랑 사귀었든, 안 사귀었든 너네들은 형 없었으면 여기까지 못 왔어."

"……선배님 말씀이 맞네요."

평소 껄렁대는 선배의 말이 오늘따라 깊숙하게 박혀들었다.

이준열은 주변을 두리번대다가 김지민을 향해 손짓했다.

"거기 리모컨이나 줘봐."

"네!!"

김지민은 기합이 잔뜩 들어선 리모컨을 두 손으로 건넸다.

이준열은 피식 웃곤 TV를 켰다. 동선을 맞추는 디에스의 모습이 비쳤다.

"벌써부터 고만고만들을 보고 싶진 않아."

이준열은 채널을 돌렸다. 김지민의 눈이 동그래졌다.

대기실 모니터를 TV 보는 데 쓰다니. 그녀로선 상상도 못 할 일이었으니까.

그러거나 말거나 이준열은 열심히 리모컨을 눌렀다.

–하루, 연예가 소식을 종합해 보는 시간, 오늘의 연예입

니다. 안녕하세요. 저는…….

채널 AHF의 방송 '오늘의 연예'가 흘러나오자 이준열은 리모컨을 한쪽으로 던졌다.

—오늘은 놀라운 소식을 들고 왔는데요. 지예가 개최하는 더 빅 스테이지 티켓팅이 열렸습니다. 오픈 1시간 만에 모든 티켓이 매진됐다는데요. 이 소식을…….

"눈들이 똥구멍에 달렸나."

저렴한 표현에 김지민은 헛웃음을 터뜨렸다. 계속해서 호평이 이어지자 이준열의 표정은 계속 일그러졌다.

"에이씨."

참지 못하고 채널을 돌리려는데 익숙한 단어가 들려왔다.

—……조금 전에 들어온 따끈따끈한 소식이네요. 월드 스튜디오에서 공식 발표가 있었습니다. 홈페이지에 영상이 올라왔는데 짧게 보실까요?

월드와 제휴를 맺은 AHF답게 홈페이지 영상의 일부까지 보여주었다.

TV에는 강윤이 깔끔한 정장을 입고 스탠드 마이크 앞에 앉은 모습이 송출됐다.

—……전 월드 스튜디오를 책임지는 회장임과 동시에 민진서라는 여자를 사랑하는 남자입니다. 어떤 이유에서건 사실대로 밝히지 못한 건 명백한 제 불찰입니다. 직원분들과 팬분들께 죄송하고, 또 죄송할 뿐입니다.

영상 속 강윤은 눈을 감았다.

—늦었지만 그 책임을 지려고 합니다. 저 이강윤은 월드 스튜디오 회장직에서 물러나겠습니다.

"뭐어?!"
TV를 보던 이준열의 목소리가 높이 치솟았고 기타를 만지작대던 김지민도 놀라 자리에서 벌떡 일어났다.
대기실의 소리가 컸던 탓일까. 김재훈과 몇몇 스태프가 벌컥 문을 열고 들어왔다.
"무슨 일이야?"
김재훈이 묻자 김지민은 TV를 가리켰다. 방송에선 아나운서와 리포터가 강윤의 회장직 사퇴에 대해 언급하고 있었다.
"쓰벌, 기획사 사장은 여자 좀 만나면 안 되냐? 선비님 나셨네."
TV를 보던 이준열은 분을 참지 못하고 자리를 박차고 나가 버렸다.
멍하니 눈만 껌뻑이던 김재훈은 뒤늦게 사태를 파악하곤

김지민에게 물었다.

"저게 무슨 말이야? 사퇴라니? 아침까지만 해도 아무 말 없었다고."

"……."

매니저들이 달려와 가수들을 달래며 데리고 나갔다. 남아 있던 스태프들은 걱정스러운 얼굴로 서로를 바라보았다.

"회장님이 물러날 정도면, 정말 괜찮을까?"

"그러게. 아직 티켓팅도 안 했는데…… 설마, 엎어지는 거 아니야?"

"그랬다간 먹튀잖아. 설마 그렇게까지 되겠어?"

강윤이 회장직에서 물러난다는 소식은 삽시간에 퍼져 갔다.

다음 날, 월드 스튜디오 공연장에 전 직원이 모였다.

가수를 담당하는 매니지먼트뿐만 아니라 C&C, 클래식, 새로 런칭한 바다까지. 월드엔터테인먼트가 스튜디오로 이름을 바꾼 이래 처음 있는 일이었다.

"정말로 회장님 물러나는 거야?"

"설마, 물러나도 잠깐이겠지. 회장님하고 이사님 지분도 비슷하잖아. 돌려서 할 때도 됐지."

"야, 이사님이 회장 되면 분위기 완전 딱딱해지는 거 아냐?"

처음 모였을 때와 달리 분위기는 뒤숭숭했다.

직원들에게 강윤의 사퇴는 갑자기 터진 폭탄과 같았다. 대부분 강윤과 민진서가 공개적으로 사과하고 자숙하는 정도로 끝낼 거라 예상했으니 말이다.

그런데 사퇴라니. 평소에 강윤이 해온 일을 생각하면 과하다고 생각했다.

"모여주셔서 감사합니다."

직원들의 복잡한 얼굴들을 앞에 두고 강윤은 단상 위에 올랐다.

특히 맨 앞에 앉은 희윤을 비롯한 작곡가, 김재훈이나 김지민 등의 가수들의 눈은 더욱 심하게 흔들렸다.

강윤은 모두를 둘러본 후 이야기를 시작했다.

"처음, 월드 엔터테인먼트라는 회사를 시작했을 때를 떠올려 봅니다. 여기 이사님과 저기, 정혜진 씨와 함께 시작했었죠. 아, 이제 혜진 씨는 과장이었죠."

가볍게 한 이야기였지만 중간 열에 앉아 있던 정혜진은 훌쩍이며 고개를 끄덕였다.

강윤은 밝은 톤으로 말을 이어갔다.

"배우 민진서와의 일은…… 죄송합니다. 제 욕심으로 모두에게 폐를 끼쳤습니다. 민망하지만 부탁드리고 싶은 건, 앞으로 이 일로 인해 민진서가 피해를 보는 일은 없었으면 합니다."

탄식 소리가 더해졌다. 이현지는 옆에서 훌쩍대던 김지민에게 손수건을 건넸다.

"……감사합니다, 이사님."

김지민은 눈물을 닦으며 이현지를 힐끔 바라보았다.

‘이사님은 아무렇지도 않은 건가?’

심하게 동요하는 사람들과 달리 그녀는 고요했다.

강윤의 이야기가 거의 끝나갔다.

“그동안 부족한 저와 함께 월드라는 회사를 키워주셔서 감사드립니다. 저는 회장이라는 짐을 내려놓고 현장으로 돌아가려 합니다. 그곳에서도 함께했으면 합니다. 긴 시간, 함께해 주셔서 감사합니다.”

“수고하셨습니다.”

누구에게서 시작됐는지 모를 박수가 이어졌다.

강윤은 강단에서 깊이 고개를 숙여 인사를 대신했다. 돌아서려는데, 두 번째 열에 앉아 있던 여직원이 손을 들었다.

“회장님, 실례가 안 된다면 질문드릴 게 있습니다. 괜찮을까요?”

“말씀하세요.”

강윤이 돌아서서 보니 새로 들어온 신입 사원이었다. 직원들이 제지하려는데 강윤은 손을 들어 그들을 만류했다.

“앞으로 민진서와는 어떻게 하실 건지 여쭤봐도 괜찮을까요?”

당돌한 질문에 모두의 눈이 휘둥그레졌다. 저 직원 누구냐부터, 미쳤냐 등등 수군대는 소리로 강당이 뒤숭숭해졌다.

반면, 강윤은 웃으며 답했다.

“좋은 질문입니다. 민진서에게도 중요한 질문이죠. 후우…….”

강윤은 긴 한숨을 쉰 후 마이크에 입을 가져갔다.

"남자라면, 자기 여자 정도는 스스로 지켜야 하지 않을까요?"

"오오오오올~"

"그러니까 진서, 잘 부탁합니다."

"하하하하하."

강윤의 농담으로 대신한 답은 무거웠던 분위기를 조금이나마 밝혔다. 민진서에게 특혜를 준 적이 없었기에 가능한 일이었다.

"……꼴에 남자라고."

앞 열에 앉아 있던 정민아는 불편한 기색으로 팔짱을 꼈다.

사실은 부러움에서 나온 불만이었다.

모든 순서가 끝나고 강윤이 뒤로 물러나자 앉아 있던 이현지가 앞으로 나섰다.

"단기간 내 많은 일이 있었습니다. 어수선하지만 이것도 잠깐이겠죠. 오늘은 오후 근무가 없습니다. 가수들 스케줄도 다 뺐으니까……."

"우와아아아아----!!"

우울했던 분위기가 한 방에 날아가 버렸다. 평일에 반나절 휴가. 회사 입장에선 큰 결단이었다.

게다가…….

"아, 그렇지. 오늘은 여기 회…… 전. 회. 장. 님이 한턱낸다고 했으니까 들고들 가세요."

"네?"

이전과 비교가 안 될 함성이 울려 퍼졌다.

강윤의 눈도 휘둥그레졌다. 여기 모인 사람들, 적게 봐도 수백 명이다.

"이강윤!! 회장님!! 한턱 쏴!! 한턱 쏴!!"

물론, 수백 명이 외치는 주문을 당해낼 수 없었다.

그날 강윤은 카드의 한도를 보고야 말았다.

♪♪♪

서울 근교에 위치한 고급 한식집은 중국인들로 북적였다. 강시명이 투자자들을 초대, 접대하는 자리였다.

더 빅 스테이지 티켓 완판에, 월드 스튜디오 이강윤 회장의 사퇴까지. 경사가 겹치면서 복타이의 투자자들과 지예의 이사들이 함께 한 자리였다.

[하하하. 한잔 받으시죠.]

강시명은 술병을 들고 투자자들의 잔을 채워주었다.

[감사히 받겠습니다.]

투자자들은 잔에 가득해진 술을 보며 만족해했다.

모두의 잔이 채워지자 상석에 앉은 영유희는 잔을 높이 들었다.

[자, 성공적인 콘서트를 위하여. 깐빼이(干杯).]

[깐빼이!!!]

독한 술이 단번에 비워졌다. 가득 부어 단번에 비워 버렸다.

술잔을 내려놓은 영유희가 강시명에게 눈을 돌렸다.

[공연장은 어떤가요? 무대 설치는 끝난 걸로 아는데…….]

[네, 내일부터 무대 연습에 들어갑니다.]

[그렇다면…… 흐음, 다 같이 즐겨도 괜찮을 텐데.]

강시명은 어색하게 웃었다. 굳이 그럴 필요 있겠냐는 뜻이었다.

다른 투자자가 강시명의 빈 잔을 보며 술병을 들었다.

[하하하. 이젠 업계에 동사장도 없는데, 조만간 동사장 소리도 들어보셔야죠.]

[아닙니다. 지금 자리로도 만족합니다.]

말과는 달리 강시명의 눈빛이 번들댔다. 영유희와 대화를 주고받던 투자자 하나가 조용히 비웃음을 던졌다.

[꿈에서 깰 때 어떤 표정일지가 궁금해지는군요.]

조용히 술잔을 흔들던 영유희는 강시명을 힐끔 보곤 답했다.

[놔두세요. 꿈이라도 꾸게 해줘야죠.]

강윤이 회장직에서 물러나겠다는 소식이 전해졌다. 배우와의 스캔들로 소속사 회장이 물러나겠다는 소식은 대중들에겐 큰 충격으로 다가왔다.

–이래서 남자는 여자를 잘 만나야 하는 겁니다.

–오해하면 안 되는 게, 회장직에서 물러난 거지 월드를 그만두겠다는 게 아닙니다. 눈 가리고 아웅…….

–윗님, 그렇게 까고 싶어요? 사귀는 게 죄는 아닌데요?

–이 정도에 물러나는 것도 웃긴다. 상대가 민진서인 건 싫은데 이 정도라면…… 크윽.

–사퇴까지 해야 하나요? 회장은 연애도 못 함?

여론은 분분했다. 형식적인 거다, 민진서 감싸려고 그런거다, 과하게 감싼 거다 등등 수많은 말이 오갔다.

다만 한 가지는 분명했다. 민진서의 열애설에서 회장직 사퇴로 관심이 옮아가면서 그녀에게 날아들던 화살들도 멈췄다는 것.

–그렇게까지 하셔야 했어요?

핸드폰으로 들려오는 민진서의 목소리는 매우 흐렸다. 당장에라도 한국으로 달려오고 싶었지만, 네이처이모션 CF를 비롯해 중요한 스케줄이 많아 멀리서 지켜볼 수밖에 없었다.

"목소리가 안 좋네. 여론도 좋아지고 있는데……."

–좋아지긴 뭐가 좋아져요!! 저 때문에 선생님이…….

강윤의 담백한 톤과 달리 민진서는 울먹였다.

"조금만 지나면 괜찮아져. 너는 괜……."

–……기다려요. 이번에는 받기만 하진 않을 거니까.

민진서의 목소리에 힘이 들어갔다. 강윤이 계속 괜찮다고 해도 요지부동이었다.

통화를 마친 후, 짧게 한숨 돌리려는데 입구 쪽에서 인기척이 들려왔다.

"다 까버리니 어때요? 맘– 이 편해 보이네요, 전 회장님."

문가에 기대선 이현지는 강윤을 보며 도리질 쳤다.

강윤은 개인 짐을 넣은 박스를 들었다. 회장실의 짐은 이삿짐을 옮기는 파란 박스 안에 들어가 있었다.

이현지도 강윤의 짐 하나를 들고 따라나섰다.

1층 로비 중앙, 이현지는 짐을 내려놓고 강윤에게 손을 내밀었다.

"그동안 수고하셨어요."

"수고하셨습니다."

차 앞도 아니고 어쩡정했지만, 강윤은 이현지의 손을 맞잡았다.

손을 놓으려는데…….

"저, 이사님?"

이현지가 놓아주질 않았다. 눈빛을 예리하게 세우면서.

"말해봐요."

"뭘 말입니까?"

"진짜로 물러난 이유."

강윤은 주변을 두리번거렸다. 마치 짜기라도 한 듯 로비에는 아무도 없었다.

이현지는 말하기 전에는 손을 놓아줄 생각이 없어 보였다. 잠시 머뭇거리던 강윤은 짧은 한숨을 쉬었다.

"……역시, 이사님까지 속이는 건 불가능하네요. 생각할수록 이상해서 말입니다. 이번 기사, 타이밍이 너무 좋았다고 생각하지 않습니까?"

티켓팅이 얼마 남지 않은 시점 강윤과 민진서를 귀신같이

저격한 기사, 이어진 더 빅 스테이지의 티켓팅.

모든 게 이상하리만치 들어맞았다.

이현지는 턱에 손을 올렸다.

"이상하다고 생각은 했죠. 기사에 나온 사진도 작년이라고 했죠? 민진서의 스캔들 정도면 바로 터뜨리거나, 우리한테 연락해서 돈을 받거나. 둘 중 하나였을 텐데…… 이상하긴 했어요. 누군가가 뒤에 있다는 생각도 들었고……."

이현지는 고개를 흔들었다. 짐을 내려놓은 강윤은 차분히 답을 이어갔다.

"한 가지 확실한 건 제가 물러나면서 경계심이 어느 정도 풀릴 거란 겁니다. 당분간 현장에 집중하면서 뒤에 누가 있는지 조사해 볼 생각이었습니다. 이따가 '연예소식9' 쪽 기자와 만나기로 했고요."

"아아, 역시. 빠르네요. 알겠어요. 저도 따로 움직이죠. 이건 우리만 아는 비밀로 하는 거죠?"

강윤은 고개를 끄덕였다. 이현지는 짐을 들고 앞장섰다.

"알았어요. 그렇다면 완전히 물러난 건 아니라는 거죠?"

"네? 흠흠, 흠흠."

이현지가 장난스럽게 눈을 흘기자 강윤은 순간 놀라 헛기침을 했다.

이별 아닌 이별 후, 강윤은 차 트렁크에 짐을 넣고 공항 고속도로를 질주했다.

기자와 만나기로 한 장소는 인천공항의 한 프렌차이즈 카페였다.

[동사장님, 그 모자는…… 아, 변장. 오랜만이네요.]

여성은 강윤을 씁쓸한 얼굴로 바라보았다. 연예소식9의 기자로 에디오스와 강윤의 특집 기사를 썼던 조희영이었다.

[지난번에 신세 진 것도 있고…… 오기는 했지만, 동사장님이 원하시는 답은 얻기는 힘들 거예요.]

[말했다시피 피드백을 얻기 위한 겁니다.]

[알겠습니다. 시작하죠.]

조희영 기자는 자세를 고쳐 앉았다. 시작하라는 신호였다.

강윤은 모자를 고쳐 쓰고 본론을 꺼냈다.

[제가 알기론, 연예소식9에서 직접 맞닥뜨린 기자분은 조 기자님밖에 없습니다. 그런데…….]

[민진서와 회장님 사이를 어떻게 알고 취재를 했냐, 그거군요.]

강윤은 고개를 끄덕였다. 조희영 기자는 망설이다가 입을 열었다.

[다 말씀드리긴 어려워요. 그건 이해해 주세요.]

조희영 기자는 컵을 내려놓고 이야기를 시작했다.

[기억하세요? 동사장님 특집 기사를 촬영하러 간 날, 민진서도 왔었죠. 그때 동사장님이 잠깐 자리를 비웠었는데, 민진서가 동사장님을 바라보는 눈빛이 심상치 않았어요.]

[겨우 그 정도로 뭔가를 알아챕니까?]

근거로 생각하기엔 납득이 가질 않았다. 사람들이 있을 때 티를 낸 적이 없었으니까. 회사에서도 기사가 나기 전까지 모르던 사람이 태반이었을 정도다.

조희영 기자는 고개를 절레절레 흔들었다.

[찰나였죠. 민진서가 동사장님을 바라보는, 사랑스러운 눈빛. 여자만이 알 수 있는 눈빛이었어요. 남자들이 그런 걸 알기는 힘들어요.]

강윤은 헛웃음을 터뜨렸다.

이야기를 모두 끝낸 조희영 기자는 짐을 챙겼다.

[이 정도면 된 것 같네요. 전 이만…….]

[그렇다면 조 기자님이 장짜오상(张早上)이라는 기자에게 소스를 준 겁니까?]

장짜오상은 처음으로 민진서와 강윤의 스캔들 기사를 낸 기자였다.

조희영 기자의 얼굴이 순간 일그러졌다가 원래대로 돌아왔다.

[그 질문에 왜 제가 답을 해야 하는지 모르겠네요.]

[곤란하다면 상관은 없습니다만 표정을 보니 제 짐작이 맞는 것 같군요.]

조희영 기자는 강윤의 눈을 피하며 자리에서 벌떡 일어났다.

[……이만 일어나 보겠습니다.]

돌아서서 나가려는 그녀에게 강윤의 말이 들려왔다.

[장짜오상이라는 기자는 입사 2개월밖에 안 된 신입이라고 들었습니다. 그 정도 신입이 터뜨리기엔 저희 기사가 가볍다고는 생각하지 않습니다만.]

조희영 기자가 강윤 쪽으로 휙 돌아섰다.

[분명히 말씀드리는데, 전 아니에요.]

[조 기자님이 아니라면 누굽니까, 다른 사람이 있는 겁니까?]

그제야 조희영 기자는 아차 싶었다. 자리에 주저앉아 시선을 떨구더니 힘겹게 입을 열었다.

[……지위강 편집장, 그 사람일 거예요. 내가 직접 보고한 사람이니까요.]

감이 왔다.

강윤은 몸을 앞으로 기울였다.

[이야기를 종합해 보죠. 지위강이란 편집장이 그 신입 기자에게 소스를 제공했고, 뒤를 밟아서 기사가 나갔다. 이렇게 생각하면 되는군요.]

[……하아.]

조희영 기자는 긴 한숨을 내쉬었다. 긍정이었다.

강윤은 재차 물었다.

[알겠습니다. 지위강이란 사람이 지예 측 사람과 만나거나 한 적이 있습니까?]

[그것까지는 모르겠네요. 하…….]

조희영 기자의 표정이 어두워졌다. 자기도 모르게 강윤의 페이스에 말려 내부 정보를 말해버렸다. 스스로 찔리는 구석이 있었다지만 이건 이야기가 달랐다. 자칫 업계에서 매장당할 수도 있었다.

그녀의 걱정을 알았는지 강윤이 말했다.

[오늘 일은 둘만 아는 걸로 하겠습니다.]

[……배려 감사드려요.]

조희영 기자와 헤어진 후 강윤은 공연장으로 향했다.

액셀을 밟으며 이현지에게 전화를 걸었다. 알아낸 사실들을 말하니 이현지의 목소리가 자연히 커졌다.

-……역시. 일개 편집장이 지예의 주식을 필요 이상으로 가지고 있다는 게 이상하다 했어요.

"지분이요?"

처음 듣는 사실에 강윤의 눈이 동그래졌다.

-그쪽 사람들에 대해서 조사를 해봤죠. 그 편집장이라는 사람, 생각보다 통이 크더군요. 무려 지예의 주식을 가지고 있었어요. 편집장 월급만으로는 살 수 없을 정도였어요.

두 사람의 이야기가 이상하리만치 들어맞고 있었다.

이현지는 좀 더 알아보겠다는 이야기와 함께 통화를 마쳤다.

강윤은 공연이 열리는 피달레 센터에 도착했다. 저녁 스케줄이 비어 있는 이준열과 김지민이 호흡을 맞춰보는 날이었다.

공연장에 들어섰는데 이상하리만치 고요했다. 무대 위에는 아무도 없었고 조명도 흐릿했다. 스태프 몇몇만이 초조한 얼굴로 분주히 이동하고 있었다.

강윤은 그들 중 한 사람을 붙잡았다.

"미영 씨."

"회장…… 아, 아니지 참."

화들짝 놀라는 직원에게 강윤은 무슨 일이냐고 묻자 그녀는 강윤의 눈을 피하기만 했다.

이어 다른 직원이 강윤을 발견하곤 돌아 나가려고 했다. 물론 걸려서 강윤에게 불려왔지만.

같은 질문을 하니 그도 눈을 피하기만 했다.

"아오, 진짜!!"

그때, 무대 뒤편에서 고성이 들려왔다. 직원들은 눈을 질끈 감았다. 강윤은 서둘러 무대 뒤편으로 향했다. 커튼을 열어젖히니 이준열이 얼굴을 붉힌 채 씩씩대고 있었다.

"아우, 아…… 형."

"무슨 일이야? 한창 연습하고 있어야 할 시간 아니야?"

이준열은 인상을 구기며 입술을 깨물었다.

"말도 마. 그, 누구야. 김지민? 애가 왜 그렇게 약해 빠졌어?"

"무슨 일인데?"

"하, 진짜…… 몇 마디 했다고 뛰쳐나갔잖아?"

앞은 잘라먹고 결론만 나오니 강윤은 혼란스러웠다. 다행히 옆에 있던 직원이 사정을 이야기했다.

"준열 씨하고 지민이가 소리 맞추다가 싸웠습니다. 준열 씨 평소 말이 곱게 나가진 않잖아요. 오늘도 평소와 다르지 않았는데, 오늘따라 지민이가 예민했던 것 같습니다. 지금 매니저가 달래러 갔습니다."

소리 맞추다 보면 으레 생기는 다툼이었다. 그런 일 때문에 뛰쳐나갔다니, 강윤은 기가 찼다.

눈을 감은 강윤을 보자 이준열은 뒤로 한 발자국 물러났다.

"나, 난 평소대로 했다고. 그렇게 예민한 앤 줄은 몰랐지."

"……."

"형, 진정해. 응?"

강윤은 이준열에게 눈짓을 주고 직원에게 눈을 돌렸다.

"공 감독님도 안 보이네요."

"병원에 갔습니다. 어제부터 몸이 안 좋아져서 링거라도 맞고 오신다고 하셨습니다."

가수부터 스태프까지, 공연장 분위기가 어수선했다. 정리가 필요했다. 강윤은 현재 책임자인 무대 감독에게 눈을 돌렸다.

"10분 뒤에 모이죠."

"알겠습니다."

심상치 않은 기류를 느꼈는지 10분도 되기 전에 모든 스태프, 이준열, 김지민까지 한자리에 모였다.

평소와 달리 싸늘한 기운을 뿜는 강윤을 보며 모두가 숨을 죽였다.

"먼저 묻겠습니다. 설마 공연이 엎어지기라도 할 거라고 생각하는 건가요?"

난데없는 돌직구에 스태프들은 화들짝 놀랐다. 스캔들 기사가 나고, 강윤이 물러난 이후 흉흉한 말이 돌고 있는 건 사실이었으니까.

"어제 민진서가 네이처이모션 CF 촬영을 마쳤습니다. 네이처이모션과의 협찬 투자 계약은 유효하다는 말입니다. 세이스와의 계약은 아무 이상이 없습니다. 여론은 시간이 지나면 잠잠해질 겁니다. 우리가 이래야 할 이유가 어디에 있습니까?"

그때, 뒤에 있던 한 여성 스태프가 손을 들었다.

"회장님, 정말로 공연에는 지장이 없는 건가요?"

질문한 사람이나 다른 스태프나 표정은 별반 다르지 않았다. 사실, 모두가 불안해하고 있었다.

강윤은 치켜 올라간 눈을 내리며 차분히 답했다.

"절대 없을 겁니다. 사실 저 때문에 생긴 소문이라 부끄럽습니다만…… 대신 몇 배로 뛰겠습니다. 그러니 도와주십시오. 저 애들처럼 싸우지들 말고……."

강윤이 이준열과 김지민을 가리키자 스태프들에게선 조금씩 웃음이 피어났다.

"크크."

"아, 진짜, 가오 상하게."

이준열은 빨개진 얼굴로 시선을 돌렸고 김지민은 고개를 숙여 버렸다.

분위기가 정리됐다는 걸 느낀 강윤은 손뼉을 쳤다.

"자!! 잠깐 쉬었다가 20분 뒤에 시작하겠습니다. 공 감독님 올 때까지는 제가 현장을 보는 걸로 하고. 거기, 이준열, 김지민. 두 사람은 잠깐 볼까요?"

강윤의 올라간 눈초리를 보고 두 사람의 얼굴은 사색이 되었다.

잠시 후, 무대 위에 다시 불이 켜지며 음악 소리가 퍼져 나갔다.

♪♫♩♫♫♩♪

밴 안.

의자를 완전히 뒤로 젖혀 누운 주아는 원진표가 준 스케줄을 보곤 고개를 끄덕였다.

"……이만하면 뭐, 나쁘진 않네요."

맞은편에서 의자 끝에 걸터앉은 원진표는 그제야 안심하고는 의자 깊숙이 몸을 기댔다.

"그럼 이대로 갈게."

"알았어요. 그런데 강윤 오빠는 괜찮대요? 진서 고것이 사고 제대로 칠 줄은 알았지만……."

주아는 혀를 찼다.

강윤을 따라도 정도껏 따랐어야지.

그래도 나이 차이를 극복하기가 쉽지 않았을 텐데. 여러 가지로 대단했다.

원진표가 말했다.

"그럭저럭 넘어가고 있어. 이 회장이 물러난다는 기사가 나고 진서를 향한 말들은 거의 사라졌거든. 이 회장은 연예인은 아니니까, 그동안의 이미지도 있고."

"그렇죠. 연애가 죄는 아니니까요."

밴이 향한 곳은 GNB엔터테인먼트였다.

주아는 홀로 사장실로 향했다. 한영숙 사장이 두 팔을 벌리며 반갑게 맞아주었다.

"이게 누구야? 주아야, 오랜만이야."

"언니, 오랜만."

포옹까지 하며 반갑게 맞아주는 한영숙 사장과는 달리 주아는 고저 없는 투로 인사를 건넸다. 한영숙 사장은 일행 없이 혼자 들어온 주아를 의아한 시선으로 바라보았다.

"원 사장님은?"

"밖에서 대기. 매니저까지 올 필요는 없으니까."

한영숙 사장은 쿡쿡대며 웃었다.

"주아, 너 너무 팍팍한 거 아니니? 그래도 한때는 MG 사장님이었는데."

"그러니까 더 굴러야지. MG가 어떤 곳인데……."

주아의 목소리에선 여러 가지 감정이 묻어났다.

한영숙 사장은 뭔가가 생각났는지 주아 쪽으로 몸을 가까이 가져갔다.

"이강윤 회장 이야긴 들었어? 이번에 완전히 호되게 당했다며."

"괜찮대. 어이없을 만큼 강한 사람이잖아. 그건 그렇고, 누구 봐달라며? 어디 있어?"

물어보기가 무섭게 주아가 자리에서 일어나 버리자 한영숙 사장은 떨떠름해졌다.

기어이 주아가 연습실로 가버리자 한영숙 사장은 고개를 절레절레 흔들었다.

"이강윤 그 사람은 저런 까칠한 애를 어떻게 잡았나 몰라, 어휴."

♪♫♩♪♫♬♩♪

본격적으로 콘서트 준비에 들어가면서 월드의 댄스팀 그렘픽도 활동을 시작했다.

월드의 소속사 가수의 노래뿐만 아니라 이준열, 디에스, 주아의 곡까지 마스터해야 했기에 댄스팀원들의 연습량은 엄청났다.

"……오늘은 여기까지. 다들 수고했어."

팀장 인태성이 온몸에 김을 내뿜으며 연습이 끝났음을 선언했다.

"……수고하셨습니다."

팀원들도 그제야 온몸에 김을 내뿜으며 바닥에 널브러졌다.

연습을 아침 일찍 시작한 탓에 이미 모두가 탈진 상태였다.

인태성은 수건을 목에 걸치며 리더 신윤혜를 돌아보았다.

"윤혜야, 넌 오늘 이사실에 들렀다 가야 하는 거 알지?"

"아, 네."

리더, 신윤혜는 누운 상태로 고개를 까닥였다. 옆에 있던 팀원이 말했다.

"지아 언니까지는 회장님이 상담했었는데…… 어떡해? 회장님 꼭 만나야 한다며?"

신윤혜는 팀원의 머리를 부비며 씨익 웃었다.

"……에이, 그 정도는 아니야."

신윤혜는 서둘러 샤워를 마치고 이사실로 향했다.

비서의 안내를 받아 안으로 들어서니 키 작은 여인, 이현지가 기다리고 있었다.

"어서 와요, 신윤혜 씨."

"안녕하십니까."

신윤혜는 기합 든 목소리로 인사한 후 소파에 앉았다.

이사가 손수 커피를 내오자 놀라 자신이 하겠다고 나섰지만 제지당했다.

불편한 마음으로 커피를 받아 들자 이현지가 물었다.

"댄스팀으로 생활하는 건 어떤가요?"

"만족하고 있습니다. 일이 많기는 하지만 하고 싶은 일을 할 수 있어서……."

형식적인 대화가 오갔다. 잘못해서 올라온 게 아니라 그런지 들었던 것만큼 이현지가 무섭게 느껴지지 않았다.

10분 정도 이야기를 주고받으니 상담이 끝났다.

"……필요한 거 있으면 언제든 올라와요."

축객령이 떨어지고 자리에서 일어났다. 잠시 망설이다가 다시 이현지 쪽으로 몸을 돌렸다.

"저…… 이사님, 혹시 회장님을 만날 수는…… 없을까요?"

"회장님이라면 이강윤 회장님을 말하는 건가요?"

이사의 표정이 묘해졌다. 지금까지의 부드러웠던 표정과는 다른, 뭔가를 생각하는 듯한 표정이었다.

신윤혜는 침을 삼키고 말을 이어갔다.

"꼬, 꼭 해야 할 말이 있어서요."

"……그래요?"

이현지는 신윤혜의 흔들리는 눈동자를 잠시 바라보더니

고개를 끄덕였다.

"시간이 좀 걸릴 텐데 괜찮나요?"

"네, 괜찮습니다."

"좋아요. 그럼 따라와요."

그렇게 신윤혜는 이현지를 따라나섰다.

두 사람이 향한 곳은 콘서트가 열리는 피달레 센터였다. 늦은 시간이었지만 공연장엔 에너지가 가득했다. 화려한 조명과 사운드, 역동적인 댄서들과 분주한 스태프까지. 정점은 열창하는 가수들과 밴드였다.

"우와……."

신윤혜는 무대를 보며 이현지를 따라 2층으로 올라갔다. 관객석 중앙, 거대한 믹서가 자리한 곳으로 가니 강윤이 있었다.

"어? 이사님. 아, 윤혜 씨."

강윤이 자신을 알아보자 신윤혜의 눈이 휘둥그레졌다.

"제 이름을 아세요?"

"직원을 못 알아보는 회…… 아, 이젠 PD죠. 자꾸 잊어버리네요. 하하하."

멋쩍게 웃는 강윤이 다르게 느껴졌다.

MG 연습생 시절, 내쫓긴 경험이 있어서일까. 그 차이가 더욱 크게 다가왔다.

이현지가 말했다.

"연습 끝나고 가볍게 한잔하죠. 여기 윤혜 씨가 꼭 하고 싶은 말도 있다니까요."

강윤이 오래 기다려야 할 거라 했지만 두 사람은 괜찮다고 답했다.

강윤의 말대로 연습은 새벽 1시가 넘어서야 끝이 났다. 스태프들과 가수들이 피로감에 찌든 얼굴로 무대를 나선 후에야 강윤은 두 사람에게 다가왔다.

"미안합니다. 늦었네요."

"그러게요. 기다린 보상은 카드로 받을게요."

최근에 이현지에게 카드를 자주 뜯기는 것 같았다.

일행은 근처의 작은 술집으로 향했다. 조용한 음악이 흐르며 이야기하기 좋은 곳이었다.

맥주가 나오자 단번에 목으로 넘겨 버린 이현지는 신윤혜에게 눈을 돌렸다.

"이제 말해봐요, 강윤 씨에게 할 말이 뭔지."

신윤혜는 주위를 두리번거렸다. 마치 누가 없다는 걸 확인하려는 것처럼.

술잔을 내려놓고 강윤이 말했다.

"어려운 이야기군요."

"……."

신윤혜는 무겁게 고개를 끄덕이더니 조심스레 입을 열었다.

"……절대, 절대로 제가 말했다고 하시면 안 돼요."

두 사람이 고개를 끄덕이자 신윤혜의 눈빛이 달라졌다.

"MG에 있을 때 무서운 이야기를 들었어요. MG에서 연습생 구조조정 한다는 이야기를 듣고 항의하려고 사장실까지 쫓아간 적이 있었는데 거기서……."

신윤혜의 몸이 덜덜 떨렸다. 강윤이 그녀의 팔을 붙들었다.

"천천히 말해요. 진정하고……."

"……괜찮아요. 지금도 똑똑히 기억해요. 사장실 문 앞에 비서는 없었고 들어갈까 말까 고민할 때……."

신윤혜는 침을 삼키고 말을 이어갔다.

"'알았지, 김 실장? 댓글 부대는 원 사장이 혼자 저지른 거야. 이게 네가 사는 방법이야'라고……."

쾅.

이현지는 들고 있던 잔을 거칠게 내려놓았다. 목소리는 전혀 달랐지만 마치 강시명이 귀에 직접 이야기하는 듯했다. 강윤도 술잔을 든 자세 그대로 굳어버렸다.

"잠시만요."

강윤은 손을 들었다. 정리가 필요했다.

지예에서 댓글 부대를 운영했다는 기사가 났을 당시, 월드에서는 아무런 입장도 발표하지 않았다. 굳이 나설 필요도 없을 만큼 여론이 악화되었으니까. 지예에선 사장인 원진표가 물러나기까지 했다. 그런데 그게 전부가 아니었다니.

"잠깐, 바람 좀 쐬고 올래요?"

"네, 네……."

이현지는 신윤혜의 떨리는 손을 붙잡고 밖으로 나갔다.

홀로 남은 강윤은 핸드폰을 켰다. 비밀번호를 눌러 잠긴 폴더를 여니 이전에 캡처 한 기사가 있었다.

[유명 연예 기획사 실장 A씨, 댓글 부대 운영 양심 고백]

유명 연예 기획사의 댓글 조작 사실이 알려지고 하루 뒤, 같은 기획사 실장 A씨가 상대 기획사를 비방하는 댓글 부대를 운영했다는 양심 고백을 하는 동영상을 올려 업계에 파문이 일고 있다.

A씨의 말에 따르면 사장 원 모 씨의 지시에 따라 상대 기획사 가수의 기사에 부정적인 댓글을 달며 여론을 형성했고……(중략)……스트리밍 조회 수를 늘리기 위해 서버를 옮겨가며 반복 재생하고 자사 가수를 실시간 검색어에 올리기 위해 활동하는 등의……(중략)…….

댓글 부대를 운영한 사무실에 사장 원 모씨와 A씨가 대화하는 모습이 공개되면서 파문은 점차 확산되고 있다.

강윤은 맥주를 단번에 비워 버렸다.

'A씨, 김민철이라고 했던가.'

이전에 원진표와의 술자리에서 들었던 기억을 떠올렸다.

몇 안 되는 부하 직원이라고 했었다. 그나마도 뒤통수를 제대로 쳤다며 신세 한탄을 했었다.

'……참, 이거.'

술잔을 기울이는데 이현지와 신윤혜가 자리에 앉았다. 신윤혜의 떨림은 어느 정도 진정되었다.

"죄송합니다. 제가…… 주책이었죠?"

강윤은 고개를 저었다.

"겁날 만해요. 혹시 지예에서도 윤혜 씨가 이 내용을 안다는 걸 알고 있나요?"

신윤혜는 격하게 고개를 흔들었다.
"절대 아닐 거예요. 만약 알았더라면……."
신윤혜는 몸서리를 쳤다.
연습생 생활을 오래 하다 보면 자연히 눈치가 는다. 그녀가 안다는 걸 알았다면 달콤한 걸 제시했거나 매장했거나 했을 것이다.
이현지는 신윤혜의 등을 다독였다.
"말하기 어려웠을 텐데. 고마워요."
"아니에요. 월드에 들어오게 되면 꼭…… 회장님껜 꼭 말하고 싶었어요."
이현지는 강윤을 바라보며 어깨를 으쓱였다.
이후, 신윤혜가 취하자 돌려보내고는 근처 칵테일 바로 향했다.
"여기 대령했습니다, 손님."
바텐더에게서 연갈색 칵테일을 받은 이현지는 강윤과 잔을 부딪쳤다.
"혹시 연습생들을 내보낸 이유가 누군가가 엿들었다는 걸 알았기 때문이 아닐까요? CCTV를 봤다거나……."
강윤은 달아오른 얼굴을 흔들었다.
"그건 아닐 겁니다. 합병 이전에도 연습생 줄인다는 소문은 파다했으니까요. 가능성이 아예 없던 건 아니겠지만요."
"강 사장은 갈수록 야비해지는 것 같네요. 그 정도는 아니었는데…… 이젠 업계에 있으면 안 될 사람이 됐네요."
술기운 탓일까. 평소의 냉정한 모습은 온데간데없고 불이 뿜어졌다.

반면 강윤은 차분했다.

"일단 냉정하게 생각해 보는 게 좋겠습니다. 이 정보를 어떻게 사용할지……."

"그렇긴 하네요. 좋은 생각이라도 있나요?"

강윤은 칵테일을 빙빙 돌리며 답했다.

"사실, 하나 있기는 합니다."

강윤은 이현지에게 다가가 작게 속삭이자 이현지의 동공이 커졌다 작아졌다를 반복했다.

"……정말로 그게 가능하다고 생각하세요? 잘못하면 우리가 문을 닫아야 할 수도 있어요."

"원 사장님이 우리에게 있습니다. 강시명, 그 사람과는 더 이상 같은 업계에 있을 수 없어요."

이현지는 강윤을 향해 실눈을 떴다.

"솔직히 말해봐요. 진서 때문이죠?"

돌아오는 건 헛기침 소리뿐, 답은 없었다.

지예의 더 빅 스테이지가 열리는 환웅 올림픽 경기장. T자형의 무대 맨 앞에 올라와 있던 강시명은 무대 아래로 다가온 남자를 보며 크게 웃었다.

"오, 김 실장. 아니지, 지사장!! 어서 오게나. 하하하!!"

남자가 무대 위로 뛰어 올라와 90도로 고개를 숙이자 강시명은 남자와 손을 마주 잡았다. 남자의 목에 걸린 명찰에는 '중국 지사장 김민철'이라고 적혀 있었다.

두 사람은 무대 앞쪽의 좌석에 앉았다. 강시명은 몇 번이나 김민철 지사장의 등과 어깨를 두드렸고 김민철 지사장은 고개를 조아렸다.

"진철이, TEPP 영입하느라 고생했어. 덕분에 중국 쪽에서 티켓이 많이 나갔어."

"다 사장님 혜안 덕분이죠."

"자식이, 입에 꿀을 발랐나. 하하하하."

강시명 사장의 얼굴에서 웃음이 떠나질 않았다.

중국의 인기 남자 아이돌, TEPP를 영입한 덕분에 중국 소녀 팬들이 절반 정도의 티켓을 사 갔다. 단시간 내 티켓이 매진된 원동력이기도 했다.

한참 이야기를 나누고 있는데 강시명의 비서가 다가왔다.

"……뭐야?"

비서를 보자 강시명의 얼굴이 일그러졌다.

"그, 그게…… 분석팀에서 보고가 올라왔습니다. 워, 월드에 대한 거라…… 항상 바로 보고하라고 하셔서……."

그제야 강시명의 일그러진 안색이 풀렸다. 비서는 떨리는 손으로 보고서를 건네고는 빠른 걸음으로 가버렸다.

"……민진서의 스캔들은 수습되는 분위기지만, 후유증이 심각하다. 민진서에게로 향하던 화살이 이강윤에게로 향하면서 이미지가 크게 실추됐다. 대중에게 완벽한 모습을 보여왔던 이강윤이라 실망도 컸던 것으로 분석된다. 월드의 티켓팅에 큰 차질이 생길 것으로 예상된다. 하하하."

강시명의 일그러졌던 얼굴도 점점 밝아졌다.

'그랬나?'

김민철 지사장은 고개를 갸웃했다. 삐걱댄 건 사실이지만, 민진서나 이혜미는 스케줄을 잘 소화해 내고 있고, 에디오스도…….

"솔직히 이강윤 같은 사람이 지금까지 버텨낸 것도 넌센스였죠."

물론 표현은 달랐다.

"자넨 역시 눈이 좋아. 기분도 좋은데 오늘, 딱. 어때?"

강시명이 손으로 술을 넘기는 제스처를 취하자 따라 하는 센스까지 보였다.

"오늘은 4차까지 달리시는 겁니다? 중간에 빼시면……?"

"하하하. 오늘은 풀 코스로 내가 쏜다!!"

이후 두 사람은 4차를 넘어 5차까지 흥겨운 술자리를 이어갔다.

주아의 연습이 있는 날.

원진표도 주아와 함께 공연장을 찾았다.

주아가 무대 위에서 한창 연습을 하고 있을 때, 강윤은 원진표를 쪽방으로 불러들였다.

커피를 마시다가 지예 시절 이야기가 나오자 원진표는 씁

씁쓸히 커피잔을 만지작댔다.

"부끄럽군요. 그때 제가 더 잘했다면……."

원진표는 문 쪽으로 눈을 돌렸다. 주아의 노래가 들려오고 있었다.

강윤도 씁쓸히 눈꼬리를 내렸다.

"지금은 잘하고 계시잖습니까. 하나하나 배워가면서요."

"……그렇겠죠?"

원진표는 힘없이 웃으며 애꿎은 브라우니만 커피에 넣고 휘저었다.

강윤은 커피잔을 내려놓고 양손을 모았다.

"사실 부탁드릴 게 있어서 모셨습니다. 저번엔 도와드렸으니, 이번엔 이용하려고 합니다."

"하하하. 회장님이라면 얼마든지 이용당해 드리죠."

원진표가 양손을 들며 웃자 강윤도 마주 웃었다.

"지예의 움직임에 반대하는 주주들을 만나게 해주실 수 있으십니까?"

원진표의 눈이 휘둥그레졌다. 입가를 손을 쓸어내리며 머뭇대다가 입을 열었다.

"명단을 원한다면 드릴 순 있습니다. 그래도…… 만남을 주선할 수는 있을지 모르겠네요. 제가 회사에서 어떻게 쫓겨나온지 아시잖습니까."

"지금 지예에선 중국 자본의 투자로 자금은 풍족해졌지만 무리한 요구 때문에 불만이 쌓여가고 있는 걸로 압니다. 그쪽과 만남을 주선해 주십시오. 이해가 맞아떨어질 겁니다.

이한서 이사님과는 이미 이야기를 마쳤습니다."

"……저를 앞세워 지예를 인수할 생각이십니까?"

원진표의 눈에 날이 서자 강윤은 웃으며 고개를 저었다.

"정확히 바지사장이죠. 이용한다고 하지 않았습니까."

"네에?"

대놓고 강윤이 욕망을 드러내자 원진표는 실소를 머금었다.

♪♪♪

모든 연습이 끝난 후, 강윤의 쪽방에 기획과 프로덕션 팀원들이 모였다.

"곧 티켓팅입니다."

강윤의 선언 같은 말에 쪽방에 모인 기획팀원들의 눈에 긴장이 어렸다.

클래식 소속으로 기획팀에 배정된 한영지가 말했다.

"스캔들은 가라앉았지만 티켓팅을 하기엔 여론이 호락호락하지 않습니다."

기획팀원들의 표정은 밝지 않았다. 기획팀원 한 사람이 말했다.

"한 주 정도만 티켓팅 일정을 미루는 게 어떨까 생각합니다. 그 정도면 티켓팅을 해도……."

강윤이 고개를 저었다.

"스캔들 때문에 티켓팅까지 미뤘다는 기사가 나면 상황이 더욱 악화될 겁니다. 그거야말로 최악의 상황입니다."

한 주도 남지 않은 상황. 호의적이지 않은 여론을 뒤집을 획기적인 전략이 필요했지만 쉽게 나오지 않았다.

회의는 새벽이 넘어서까지 계속되었지만 누구 하나 좋은 의견을 내지 못했다. 피곤함에 지친 팀원들의 눈이 하나둘씩 벌게져 책상을 베개 삼아 인사를 시작했다.

강윤은 한숨을 내쉬었다.

"……오늘은 여기까지 하죠. 수고하셨습니다."

회의가 끝나자 모두가 지친 기색으로 짐을 챙겼다. 강윤도 구석에 있던 침낭을 펼쳤다. 그때, 막 짐을 챙기던 프로덕션 팀원 한 사람이 강윤을 돌아보았다.

"회장님, 지난번에 네이처이모션 협찬을 얻었을 때 기억하십니까?"

"기억하죠. 폰 영상으로 재미를 봤잖습니까. 하지만 같은 방식이 또 먹히지는 않을 겁니다."

같은 방식의 홍보는 흥미를 잃는 법이다. 강윤은 부정적이었다. 그런데 이야기를 꺼낸 프로덕션 팀원에게선 자신감이 넘쳤다.

"지난번 영상은 가수들의 자연스러운 잼으로 화제가 된 것이잖습니까. 이번에는 아예 반대로 가는 게 어떻습니까? 제대로 된 공연을 보여주는 거죠. 이래도 안 올 거야? 이런 식으로요."

팀원들의 발걸음이 멈췄다. 강윤은 잠시 생각하다가 박수를 쳤다.

"아예 눈도 떼지 못하게 만드는 게 포인트군요. 좋습니다. 컨셉부터 짜보죠."

강윤의 한마디에 귀가하려던 팀원들이 다시 책상에 달려들었다. 예정 없던 밤샘으로 모두가 녹다운됐지만 덕분에 메모지는 빽빽해졌다.

♪♪♪

이틀 후.

공연장에 들어서며 크리스티 안은 투덜거렸다.

"……왜 머리까지 하고 오란 거야."

공항에 도착하자마자 숙소가 아닌, 샵으로 가야 했다. 숙소에서 잠깐이라도 눈을 붙일 생각이었는데 그 귀한 시간을 머리 만지는 데 썼으니 스트레스가 이만저만이 아니었다.

서한유도 자신의 얼굴에 파운데이션을 찍는 메이크업 아티스트를 향해 따가운 눈총을 해댔다.

"……너무 두꺼운 것 같은데요."

"그게…… 오늘 카메라 돌리잖아요."

방송용 메이크업은 두꺼울 수밖에 없다. 에디오스 멤버들은 도자기 인형이 되어갔다.

메이크업을 마치고 무대 위에 올라선 이삼순은 곳곳에 놓인 카메라를 보곤 눈이 휘둥그레졌다.

"홍보 영상 찍는다며? 카메라 리허설이었어?"

주변을 돌아보는 에디오스 멤버들도 당황하긴 마찬가지였

다. 무대 양 끝에는 정신없이 머리를 돌려대는 무빙 라이트가 있었다. 뒤편 구석엔 연기를 뿜어내는 이산화탄소 장치, 세트를 돌려대는 턴테이블까지 돌아갔다. 스태프들도 사이에 긴장감이 흐르고 있었다.

에디오스 멤버들도 입을 닫고 제대로 동선을 체크하기 시작했다.

무대 밑에 있던 공호진 연출가가 말했다.

"콘티 다들 확인했죠?"

"네."

"'오늘은 좀 그래서' 5번만 하면 끝낼 거니까 힘내줘요."

에디오스 멤버들의 얼굴이 새하얗게 질러 버렸다. 이어서 도착한 가수들도 똑같은 전철을 밟았다. 같은 곡을 한 번에 5번이나 불러야 했다.

강윤은 2층에서 무대에서 일렁이는 은빛을 지켜보고 있었다.

'아쉽네. 더 괜찮아질 것 같은데…….'

가장 은빛의 일렁임이 심한 건 인문희의 무대였다. 인문희가 T자형 무대 단상을 걸어 앞으로 나올 때 그녀의 뒤로 바닥이 날아가는 특수효과가 나타났다.

'흐음…….'

강윤이 인상을 쓰며 무대를 지켜볼 때 무전기로 공호진 연출가의 목소리가 들려왔다.

–PD님, 마무리할까요? 소스는 이 정도면 충분합니다.

OK 사인을 보내면 끝난다. 맞은편의 시계를 보니 자정이었다. 무대 밑에서 대기하는 가수들을 보니 꾸벅꾸벅 졸고 있었다.

강윤은 무전을 보냈다.

"문희만 남고, 다른 사람들은 여기까지. 조금만 더 해보죠."

가수들은 메이크업도 지우지 않고 공연장을 빠져나갔다.

인문희가 무대 위로 올라가자 강윤은 1층으로 내려왔다. 촬영 감독과 이야기하던 공호진 연출가가 다가왔다.

"필요한 거 있으세요?"

"한 번 만 더 해보죠. 걸리는 게 있어서요."

음악이 흐르며 인문희의 구수한 가락이 퍼져 갔다. 조금 전과 마찬가지로 인문희가 T자형 무대 앞으로 걸어 나갔다. 보랏빛 조명과 함께 바닥이 조각나듯 들리며 사라져 갔다.

그때, 강윤이 무전을 보냈다.

"양 감독님, 바닥 들리는 거 말고 다른 걸로 바꿔주실 수 있습니까?"

지직대며 무전이 들려왔다.

–공 감독님이 특별히 화려하게 해달라고 하신 건데요.

"이번만 심플하게 부탁드립니다. 아예 없어도 상관없습니다."

무전을 들은 공호진 연출가에게서 아쉬워하는 기색이 느껴졌다.

다시 촬영이 재개됐다. 인문희는 전과 같이 노래를 부르며 T자형 무대 앞으로 걸어 나갔다. 바닥이 들리는 효과 대신, 주변의 조명에 보라색 라인이 그림 그리듯 그려졌다.

-사랑아-- 나만 두고 가려든-- 다신 찾지--

때에 맞춰 터져 나온 인문희의 노래와 함께 은빛이 일렁이며 금빛으로 터져 나왔다.

서운한 기색이 역력하던 공호진 연출가의 눈빛도 변했다. 강윤은 묵묵히 고개를 끄덕였다.

노래가 끝나고 무전으로 무대 감독의 목소리가 들려왔다.

-컷!! 완벽해, 완벽!! PD님!! 최곱니다!!

다른 스태프들에게도 같은 말이 들려왔다.

강윤은 쓰러지듯 관객석에 앉았다.

그로부터 이틀 뒤, 인문희의 영상을 주로 한 월드 스테이지 홍보 영상이 포털 사이트 메인을 장식했다.

5화

더 큰 세상을 향해

강윤이 콘서트 티저 영상에 매달릴 때 원진표와 이한서 이사는 지예의 소액주주들을 찾아갔다.

"당신과는 더 할 말이 없어요."

지예의 소액주주 중 대표 격인 임대산은 원진표를 벌레 보는 시선으로 바라보았다.

"거북하시다는 거 압니다. 그래도 10분, 아니, 5분만 제 이야기를……."

"아, 진짜 질척대네."

쾅.

철문이 닫혀 버렸다.

원진표가 벨을 누르려 하자 이한서는 벨에 가 있는 그의 손을 잡았다.

"다음에 다시 오는 게 좋겠습니다."

"그래야겠네요. 쉽진 않을 거라고 생각은 했지만……."

이한서는 쓴 얼굴로 원진표의 축 처진 어깨를 다독였다.

이전에 있었던 댓글 부대 사건 때문인지 지에 관계자들은 그를 거들떠보지도 않았다.

입구를 나서며 원진표는 아파트를 돌아보았다.

"……괜찮습니다. 될 때까지 해보죠."

어느새 원진표의 어깨는 당당히 펴져 있었다. 그의 뒷모습을, 이한서가 흐뭇하게 바라보았다.

♪ ♪ ♪

월드 스테이지의 티저 영상이 공개됐다. 트로트 가수 유리가 돔 콘서트장에서 무대를 갖는 영상이었다.

스캔들로 인해 월드에 대한 여론은 좋지 않았지만 부자는 망해도 3년은 가는 법. 사람들은 포털 사이트 세이스 상단에 노출된 배너를 그냥 지나치지 않았다.

배너를 누르자 초고화질로 30초 동안 인문희의 무대가 화면을 가득 채웠다. 은빛에서 금빛으로 변해가던 그 순간이었다.

–악플 달러 왔는데…… 마음이 정화되었다.

–이번 건 별로네요. 100번밖에 안 봤습니다.

–윗분 말에 동의요. 저도 500번밖에 안 눌렀습니다.

금빛의 영향력 때문일까. 티저에 대한 반응은 어이없을 만큼 폭발적이었다.

–이강윤은 마음에 안 드는데…… 콘서트는 끌린다.
–진서야아……ㅠㅠ
–저 아재도 장가는 가야죠. 근데 진서는 안 되는데…….

물론 반응이 다 좋지만은 않았다.
특히 가까이에서.
"이 나쁜 놈아!! 편집할 게 따로 있지!! 날 통으로 잘라내냐?! 우와!!"
티저를 보자마자 주아는 스케줄 중간에 공연장으로 달려왔다. 신입 때도 이런 굴욕은 없었다며 강윤의 머리를 쥐어뜯을 기세로 달려들었다.
"그래서 문희가 잘했어, 못했어?"
"짱이긴 했지만…… 중요한 건 날 왜 자르냐고!! 내 말은……."
"가장 좋은 무대를 내보낸 것뿐이야."
네 무대보다 문희의 무대가 나았다는 말이었다.
자존심에 사정없이 생채기가 났다. 주아는 입을 닫고 눈에서 레이저를 쐈다.
"……두고 봐. 오빠 내게 모욕감을 줬어."
주아가 씩씩대며 공연장을 나가 버리자 스태프 하나가 걱정스러운 표정으로 강윤에게 다가왔다.
"괜찮을까요? 주아 자존심은 모두가 알아주잖습니까."

"괜찮습니다. 저 애는 진짜 프로거든요."

스태프들은 혹여나 성깔 부리는 건 아닌지 걱정했지만 강윤은 태연했다.

이틀이 지나고 티켓팅 날이 됐다.

프로덕션팀이 무대 정비에 한창일 시간, 기획팀은 쪽방에 모였다. 강윤은 모니터를 돌려 모두가 보기 편안하게 해주었다.

"……자, 잘되겠죠, 팀장님?"

"눈깔 처박고 보기나 해."

긴장에 떨던 기획팀 막내는 팀장에게 욕을 먹고 수그러들었다.

사이트가 열리고 티켓팅이 시작됐다. 모두의 눈이 모니터로 향했다. 오늘은 선판매다. T자형 무대 양옆의 VVIP 좌석을 판매했다. 선판매량에 따라 앞으로의 동향도 파악할 수 있기에 팀의 사기나 전략 등에도 매우 중요했다.

'느리네.'

침묵 속에 째각대는 소리만이 울렸고 하얀 좌석은 변함이 없었다.

강윤 옆에 선 이현지는 주먹을 꽉 쥐었다. 조금이라도 떨림을 멈추기 위함이었다.

20분째, 좌석은 미동도 하지 않았다.

'아, 씹.'

망했다.

가슴 졸이던 팀장은 강윤과 이현지를 돌아보았다. 두 사람 모두 모니터에서 눈을 떼지 못하고 있었다.

"안 되겠어요. 세이스에 연락해서……."

이현지가 나서려던 그때, 하얀 좌석들이 붉은 색깔로 꽉 차버렸다. 마치 그림판에서 페인트칠하듯 순식간에.

"……."

모두가 그대로 얼어붙었다.

팀장이 막내를 밀었다. 막내는 재빨리 F5를 눌렀다. 잠깐의 버퍼링과 함께 화면이 나왔다. 모든 좌석이 붉은색. 티켓 판매 완료였다.

"우와아아---!!"

팀원 모두가 서로를 부둥켜안았다. 한창 작업 중이던 프로덕션팀도 소리를 듣곤 쪽방 안으로 들어와 만세를 외쳤다.

강윤도 안도의 한숨을 내쉬었다. 입가엔 희미한 미소가 걸렸다.

"휴우, 이제 산 하나는 넘었네요."

이현지도 그제야 이마에 맺힌 땀을 닦아냈다. 이현지 뒤에 있던 직원은 전화를 받더니 실소를 머금었다. 통화를 마친 후 이유를 말했다.

"사이트 열리자마자 중국 쪽에서 트래픽이 왕창 몰렸답니다. 그걸 디도스로 오해해서…… 세이스에서 서버를 막았다고 하네요. 혹시 한국 쪽으로 들어오면 안 되니까 전부 다 막았다고. 그런데 중국인들 항의 전화가 엄청나게 몰려들어서……."

"아아."

강윤도 어깨를 으쓱였다.

결국, 오해로 인해 티켓 판매가 막혔었다는 이야기였다. 홈페이지가 막힌 시간을 빼면 2분도 안 돼서 매진되었다는 말이었다.

팀원 모두가 탄성을 지르는 동안 이현지만이 평정을 되찾았다. 그녀는 강윤을 바라보았다.

"아직 메인 티켓팅이 남았군요."

"아마 별일 없을 겁니다."

강윤이 말한 대로였다.

며칠 후에 오픈된 티켓팅에선 3분도 안 돼서 모든 좌석이 매진되었다며 기사까지 났다.

강윤은 회식을 선언했다. 무려 한우. 모든 공연 관계자가 한자리에 모여 기쁨을 나눴다.

투자한 네이처이모션의 이사, 한기영도 일을 마치고 참여했다. 잔을 드는 그의 얼굴에는 기쁨이 가득했다.

"오픈 3분 만에 매진이라니…… 기사를 보고 속이 뻥 뚫린 기분이었습니다. 덕분에 내일 이사회에서 어깨를 펼 수 있겠어요."

강윤도 웃으며 잔을 부딪쳤다. 옆에 앉은 이현지가 말했다.

"어깨만 펴면 섭섭하죠."

"하하하. 뭔가가 더 있는 겁니까?"

한기영 이사의 얼굴이 가운데로 향했다. 이현지의 목소리도 한층 더 은밀해졌다. 화기애애한 분위기 속에서 회식은 계속되었다.

♪♫♩♪♫♬♩♪

지예의 콘서트 더 빅 스테이지의 연출가, 류마 카이토는 골머리를 앓고 있었다.

티켓팅?

30분 만에 모두 매진돼서 문제였다.

총괄 프로듀서 이토 료타와의 기싸움?

말이 너무 잘 통해서 문제였다.

예산? 스태프?

지예에선 예산을 들이붓고, 스태프들은 그의 말이라면 죽는시늉이라도 한다.

진짜 문제는 따로 있었다.

"저번에 말했잖아요. 나 이거 무서워서 타기 싫다니까요."

류마 카이토 연출가는 무대 위의 슬라이딩(무대 위에서 미끄러지듯 움직이는 판)에서 내려오며 인상을 구기는 여가수를 보며 머리를 잡았다.

고민의 원인, 여자 아이돌 윙클의 비주얼이자 팬덤의 핵심인 진혜영이었다.

끓는 속을 꾹꾹 눌러 담으며 류마 카이토 연출가는 웃으려 애썼다.

[지난번에는 속도 느리게 하면 할 수 있다고 했어요. 덕분에 모터

까지 교체하느라 낭비한 시간이 얼마나……]

"아아아아, 그런 건 잘 모르겠고요. 난 못 타니까 바꿔주세요."

통역이 최대한 좋게 풀어서 전달했지만 분위기까지 어떻게 할 수는 없었다.

이런 만행에도 직원들은 그녀를 사기그릇 다루듯 조심하고 있으니 이해가 가질 않았다. 류마 카이토의 이성을 잡고 있던 끈이 끊어지며 온화하던 표정이 뒤틀어졌다. 절절매는 통역을 듣고도 진혜영은 코웃음을 쳤다.

"쪽바리 주제에 인상 쓰면 단줄 아네? 못 한다고요. 안 해, 안 한다고."

주변이 얼어붙었다. 심상치 않은 분위기를 감지한 윙클의 리더, 오영지가 달려와 진혜영의 양팔을 붙잡았다.

"얘가, 얘가. 죄송합니다, 감독님. 얘가 스트레스받으면 애가 날카로워지거든요. 죄송합니다, 죄송……."

"니가 뭔데 지랄이야?"

진혜영은 폴더 폰이 된 양 허리를 숙여대는 오영지를 밀어버렸다.

"꺅!!"

오영지는 그대로 무대 아래로 나가떨어졌다.

놀란 스태프들이 달려오고 공연장은 뒤집어졌다.

총괄 기획자 이토 료타까지 나섰지만 진혜영은 '쪽바리'라는 망언을 퍼부어 대며 폭주를 멈추지 않았다.

결국 강시명이 진혜영을 데리고 나가고 나서야 사태가 마무리되었다.

차 안에서 강시명은 그녀를 보고 한숨을 내쉬었다.

"혜영아, 감독님들한텐 얌전히 굴라고 했잖아."

"아, 자꾸…… 그 사람들이 이상한 거 시키잖아요."

진혜영은 입술을 삐죽대며 몸을 꼬았다. 강시명은 그녀의 어깨에 손을 얹고 끌어안았다.

"그래그래, 힘들었구나? 우리 혜영이."

"에헤헤, 사장님밖에 없어요. 저, 근데용…… 그 쪽바리들은 어떻게 안 돼여? 연출도 별로고, 지휘하는 것도 이상하고……."

강시명은 기가 찼다. 지가 뭘 안다고 일본 최고의 공연 기획자와 연출가한테 뭐라 하는 건지.

그녀의 양팔을 잡고 밀어냈다.

"쪽바리라니. 총괄 PD님하고 연출가님이야. 자꾸 그렇게 말하면……."

진혜영의 얼굴이 삽시간에 일그러졌다.

"그런 건 잘 모르겠고요. 이런 식이면 나 확 다 불어버……."

"아아아. 알았어, 알았어. 알았다고. 원하는 대로 해줄 테니까 시간을 줘. 알았지?"

"헤헷."

진혜영은 강시명을 끌어안았다. 팬들을 빠져들게 만든 어린아이 같은 미소를 지으며.

그녀의 어깨에 얼굴을 걸친 강시명의 얼굴이 일그러졌다.

'……빨리 치워야겠어.'

'남자들 생각이야 뻔하지, 븅신.'

인천공항 입국장.

엄마 손을 잡은 남자아이는 정면을 가득 메운 카메라를 가리켰다.

"엄마, 저 사람들도 우리 아빠 기다리는 거야?"

카메라 양옆으로 노란 띠가 둘러져 있었고 뒤쪽은 군중으로 가득했다.

엄마는 아이 손을 단단히 붙잡았다.

"민우야, 엄마 손 꼭 잡아."

혹시라도 잃어버릴까, 엄마는 아이의 손을 꼭 쥐었다. 카메라부터 뒤의 사람들까지. 아이 아버지 때문에 공항을 자주 들락거리긴 했지만 이렇게 붐빈 경우도 드물었다.

"이강윤이다!!"

군중 사이에서 외침이 들려왔다. 카메라들과 군중들이 일거에 소리가 난 방향으로 몰려갔다.

입국장 문이 열린 것도 그때였다. 사람들이 나오기 시작했다. 아이의 아빠도 일행 가운데에 있었다.

"아빠아!!"

카트에 캐리어를 싣고 오는 남자를 보자마자 아이는 남자에게 달려갔다.

"읏차아. 우리 민우, 잘 있었어?"

"응!!"

남자는 아이를 끌어안고는 높이 들어 올렸다.

해후를 나누는 가족 옆에 벙거지를 눌러쓴 여자가 다가왔다. 운동화와 함께 펑퍼짐한 바지와 티를 입은 여성이었다.

"오빠 아들이에요?"

"응, 아들. 인사해, 진서 누나야."

"우와아…… 예쁘다."

벙거지를 올린 민진서의 얼굴을 보자 남자아이의 눈이 반짝였다.

남자의 핸드폰이 울렸다. 버튼을 누르니 다급한 소리가 들려왔다.

–팀장님, 10번 출구 쪽으로 오시랍니다.

남자는 아들을 내려놓고 민진서를 데리고 10번 출구로 향했다. 10번 출구 쪽으로 가니 회사 동료들과 전 회장, 강윤이 있었다. 전 회장은 카메라 앞에서 기자들의 질문과 사람들의 시선을 받고 있었다.

사람들의 시선을 받아넘기는 강윤을 보자 민진서의 얼굴이 일그러졌다.

"저 사람들이 진짜……."

민진서는 벙거지를 벗어버리곤 강윤에게로 향했다.

"민진서다!!"

카메라와 군중들이 일거에 민진서에게로 몰려들었다.

남자는 민진서의 옆에 바짝 붙었다. 공항 가드들도 민진서의 옆에 바짝 섰다. 간이 세트장에 서 있던 강윤도 서둘러 민진서의 손을 잡아 세트 쪽으로 끌어 올렸다.

'대현 팀장님, 진서 데리고 밴에 가 있으라고 하지 않았습니까.'

'그게…… 죄송합니다.'

카메라 시야 밖으로 물러나며 남자는 고개를 숙였다. 강윤이 매니저 팀장인 자신을 보낸 이유가 사람들 눈에 띄지 않게 하라는 지시 때문이었는데, 실패라니.

민진서가 강윤의 팔을 붙잡았다.

'대현 오빠 탓이 아니에요. 제가 온 거니까요. 저기 카메라 보세요.'

강윤은 한숨을 쉬며 카메라 쪽으로 시선을 돌렸다. 플래시들이 계속 터지고 있었다.

아직은 어색하게 플래시를 받는 강윤과 달리 민진서는 프로의 눈빛으로 받아넘기고 있었다.

기자 한 사람이 강윤 쪽으로 마이크를 댔다.

"두 분 사이를 인정하고, 첫 공식 일정인데요. 기분이 어떠십니까?"

비밀 연애에서 공개 연애로 전환하니 기분이 어떻냐는 질문이었다.

강윤은 멋쩍게 웃었다.

"이거 참…… 쑥스럽네요. 관심을 이렇게도 가져주시니 감사하면서도 부담도……."

"그동안 결혼을 전제로 진지하게 만나오고 있었어요."

난데없이 핵폭탄이 떨어졌다. 강윤과 기자 등 모여 있는 사람들 모두 그 자세 그대로 굳어버렸다.

'진서야, 너…….'

'혼자 버려두지 않는다고 했잖아요.'

갖가지 감정이 뒤섞인 눈빛을 마주하며 민진서는 강윤의 손을 꼭 잡았다.

'금방 끝내고 올게요.'

민진서는 강윤에게 돌아서서 폭발하듯 터져 나오는 플래시 세례 쪽으로 걸어갔다.

양손을 들자 소란이 서서히 잦아들었다. 플래시까지 멈추자 민진서는 외쳤다.

"이건 분명히 말씀드릴 수 있어요. 연기를 사랑하는 만큼 여기 이강윤 회장님을 오랫동안 바라봤고, 앞으로도 그럴 거라는 걸."

수많은 기자가 손을 드는 중에 민진서는 다시 한번 외쳤다.

"다들 궁금한 게 많으실 거라고 생각해요. 다 말씀드리고 싶지만 중요한 공연을 앞두고 있어서 여기까지 하겠습니다. 그럼."

민진서는 돌아서서 강윤의 손을 잡았다.

기자들이 잠시 멈칫한 사이, 직원들은 강윤과 민진서 곁에 바짝 붙어 입구를 뚫기 시작했다.

"진서 씨!! 하나만 답해주세요!!"

"민진서 씨!!"

10번 출구는 민진서와 어떻게든 인터뷰를 하려는 기자들과 제지하려는 가드들과의 전쟁이 벌어졌다.

소란을 뚫고 일행은 입구에 있던 밴을 타고 공항을 벗어났다.

인천대교를 벗어날 즈음에서야 모두가 안도의 한숨을 내쉬었다.

강윤은 안색을 굳히곤 민진서를 바라보았다.

"기자들 앞에서 그런 식으로 말하면 어떡해. 하…… 앞으로 이미지는 어떡하려고."

"상관없어요."

평소라면 죄송하다는 말부터 했을 민진서였지만 오늘은 달랐다.

"위약금이 생기면 제가 다 물게요. 회사에 끼친 손해는 몸이 부서지도록 일해서 갚을게요. 하지만…… 하지만, 오늘 일은 절대 후회하지 않아요."

"진서야, 회사도 회사지만……."

민진서는 강윤의 허리를 강하게 끌어안았다. 함께 차를 타고 있던 직원들은 황급히 고개를 돌렸고 강윤은 그녀를 떼어놓으려 했다.

"진서야, 사람들 있는데……."

"어때요, 사람들 다 아는데. 그죠?"

민진서는 스태프들 모두와 눈을 마주치자 헛기침을 하며 외면했다.

강윤은 그녀를 떼어놓으려다 그만두었다. 이상한 기분이었다. 회사를 생각하면 혼을 내야 했는데 남자 입장에서 보니 또 나쁘진 않았다.

하지만 강윤은 어깨에 짊어진 것이 많았다. 허리를 꼭 끌어안은 민진서를 떼어놓았다.

"……서운하게 들리겠지만 네 행동 때문에 월드의 이미지에 심각한 타격이 올 수도 있었다는 거, 알지?"

민진서의 눈이 커다래졌지만 강윤은 단호했다. 그제야 민진서는 고개를 숙인 채 끄덕거렸다. 알고 있었지만 더 중요한 게 있었을 뿐이다. 그걸 몰라주니…….

저런 벽창호 진…….

'심장 멎는 줄 알았다, 좋아서.'

강윤의 얼굴이 귓가에서 멀어져 갔다. 민진서의 눈이 커다래졌다. 강윤은 고개를 절레절레 흔들었다. 아무리 공개됐어도 입장이란 게 있는 법이다.

민진서는 창가로 눈을 돌렸다.

'진서가 저렇게 적극적이었어요?'

'난들 아냐. 근데…… 회장님 진짜 부럽다. 크윽…….'

앞 좌석에서 백미러로 뒤를 보던 두 남자는 가슴을 부여잡았다.

민진서가 귀국한 지 얼마 지나지 않아 인터넷은 난리가 났다.

–여배우의 공개 사랑 고백, 팬들 가슴에 비 내려?

–귀국 후 공항에서 회장님 사랑한다, 민진서 고백 파장 예상.

–여배우의 고백, 말 없던 이강윤. 짝사랑?

강윤의 손을 잡고 공개 고백을 해버렸으니 당연한 수순이었다. 잦아들었던 여론이 다시 불타올랐다. 민진서가 아이돌 이상의 인기를 구가하는 여배우인 것이 컸다. 팬들을 상대로는 제대로 염장질까지 해버린 꼴이었기에 남성 팬들의 실망이 이만저만이 아니었다.

여성 팬들은 달랐다. 사랑을 택하고 행동하는 용기가 멋지다며 오히려 팬이 늘고 있었다.

이런 집계를 들고 월드의 홍보팀장 강용진은 이사실에 보고를 위해 올라갔다.

"……이전처럼 일방적으로 몰리진 않았군요. 항의 전화도 없었고."

이현지는 안도의 한숨을 내쉬었다.

"네, 그, 그렇습니다. 이 추, 추세라면 금방 가, 가라앉을 것 같습니다. 호, 호의적인 기사도 요, 요청했고……."

"강 팀장, 아직도 내가 무섭나요?"

이현지가 노려보자 강용진 팀장의 등이 꼿꼿해졌다.

월드 스튜디오 연습장에선 하얀달빛의 연습이 한창이었다. 목을 풀고 있던 이현아는 이차희에게서 민진서의 소식을 접했다.

"아…… 하하. 대단하네, 그 애."

이현아의 맥 빠진 얼굴을 보더니 김진대가 돌리던 드럼 스틱을 내려놓으며 물었다.

"현아 왜 그래? 그날…… 이야?"

이차희의 손바닥이 김진대의 등에 스매싱을 날렸다. 평소라면 적당히 하라며 말렸겠지만 이현아는 무시한 채 씁쓸히 웃었다.

'처음부터 안 되는 싸움을 했던 거구나.'

같은 시간.

HMC 라디오 방송국에서 스케줄을 수행하던 정민아는 GNB의 걸그룹 허니민트의 하예리에게 민진서의 소식을 들었다.

"하하!! 이러면 인정할 수밖에 없잖아!! 하하하하!!"

정민아는 복도의 의자에 주저앉고는 미친 사람처럼 웃어젖혔다. 공개 고백을 했다는 건 배우를 포기할 각오까지 했다는 이야기였다. 민진서만큼 연기를 좋아하는 애는 거의 없었다.

"졌어, 완전히 졌다고. 춤까진 못 버리는데…… 하하하하!!"

그동안 느끼지 못했던 지독한 패배감이 몰려왔다. 눈가를 가린 손 사이로 눈물이 흘러내렸다.

"어, 언니……."

하예리는 어찌할 바를 모른 채 우왕좌왕했다.

수년간 한국 가수 기획사는 큰 변화를 맞이했다.

이젠 업계 1위가 된 월드와 치고 올라가려는 지예, 거기에 중국에서 무섭게 규모를 키워가는 업계 3위, 윤슬엔터테인먼트까지.

사람들은 신 3대 기획사라고 불렀다.

여기에 부동의 4위를 유지하고 있는 GNB엔터테인먼트가 있었다.

그곳의 사장, 한영숙은 어두운 표정으로 보고를 보고 있었다.

"……특별한 게 필요해. 여기서 더 해외 진출이 늦어지면 우리가 설 자리마저 사라질 거야."

보고서를 올린 직원은 침묵했다. 세계는 넓다지만 진출할 기반을 닦는 건 시간이 걸리는 법이다.

월드와 지예, 윤슬이 해외로 뻗어 나가는 사이 GNB는 빈자리를 메우는 데 총력을 기울였다. 걸그룹 허니민트와 나엘이 1위를 하는 등, 기반을 잡을 수 있었다.

문제는 해외였다. 한국에서 자리를 잡고 나엘을 일본에 진출시켰으나 첫 앨범이 오리콘 차트 100위 안에도 들지 못하는 처참한 실패를 겪었다.

어떻게든 일본에서 자리를 잡아보겠다며 나엘은 혹독하기로 소문난 일본 예능 순회에 나서며 분투하고 있었지만 눈에 띄는 성과는 미미했다. 허니민트나 남자 아이돌, UNI도 같은 신세였다.

고심하고 있는데 전화벨이 울렸다.

-사장님, 이강윤 회장님 오셨습니다.

직원이 나가고, 비서가 강윤과 함께 사무실에 들어섰다.

차와 함께 마주 앉은 후, 한영숙 사장은 먼저 말을 꺼냈다.

"회장직에서 물러났다고 들었는데…… 오히려 얼굴은 더 좋아진 것 같네요."

"일이 줄었기 때문인 것 같습니다. 아, 이젠 회장은 아니고, 총괄 프로듀서입니다."

호칭에 의미가 없다는 건 알고 있었다. 누가 뭐래도 월드의 실세는 이강윤이었으니.

빙빙 돌던 이야기가 중심으로 가기 시작했다.

강윤이 말했다.

"부탁드릴 게 있어서 왔습니다."

"부탁이라. 어떤 건가요?"

"사실, 부탁은 아닙니다. 협박으로 들릴지도 모르겠네요."

한영숙 사장의 눈이 가늘게 휘어졌다.

"……일단 듣고 말하죠. 협박이라."

강윤의 얼굴에서 웃는 상이 사라졌다.

"지예와의 모든 관계를 끊으십시오."

쾅.

한영숙 사장은 탁자를 내려쳤다.

"무례하군요. 월드가 아무리 큰 회사라지만 이런 식으로 자유를 침해할 권리는 없어요."

"A-Trust와 연결시켜 드리겠습니다."

한영숙 사장은 순간 멈칫했다. 현재 가장 필요한 것이 나온 탓이었다. A-Trust는 월드의 가수 유리의 엔카 앨범을 성공시켜 거대 기획사로 거듭났다.

이젠 A-Trust의 프로듀서가 유리의 한국 앨범까지 참여할 정도라고 들었다. 거기 프로듀서가 특히 유리가 없으면 못 산다는 건 유명했다.

"현재 GNB에 가장 필요한 게 어떤 건지를 생각하고 판단하시길."

한영숙 사장의 머리가 맹렬하게 돌아갔다. 손해 볼 건 없었지만 이대로 상대에게 끌려가면 앞으로도 끌려갈 게 뻔했다. 상대가 준비한 판에서 지는 싸움을 할 필요는 없었다.

"좋은 제안해 주신 거, 감사드려요. 일단 생각해 보고……."

"지금 답을 주십시오."

"이봐요."

한영숙 사장에게서 여유가 사라졌다.

"이대로 나윤이 같은 아이를 오리콘 밑바닥만 돌게 만들 생각입니까?"

"나윤이가 실패할 거라고 자신하시는군요. 우리끼리는 아예 못할 거라고 자신하시는 건가요?"

"확신합니다. 제가 누군지 잊으셨습니까?"

한영숙 사장은 멈칫했다. 상대는 세계에서도 인정받는 프로듀서였다. 하지만 물러나고 싶지 않았다. 이젠 자존심 문제였다.

"앨범이란 건 나오기 전에는 누구도 알 수가 없어요. 우리 나엘이도……."

"결국 언제 뜰지도 모른 채 이대로 계속 굴리다가 내보내겠다는 거군요. 알겠습니다."

더 할 말이 없다며 강윤은 자리에서 일어났다. 단호한 태도에 놀란 한영숙 사장은 얼른 그의 손을 붙잡았다.

"새, 생각할 시간을 줘요."

"시간은 충분히 드렸다고 생각합니다."

진짜 선택의 순간이 온 것이다. 한영숙 사장은 천천히 강윤의 손을 놓았다. 다행히 생각할 시간까지 방해하지는 않았다. 강윤은 소파에 앉아 식어버린 커피를 마셨다.

30분 정도 지났을 때, 한영숙 사장이 힘겹게 입을 열었다.

"……한 가지만 부탁해도 될까요?"

"들어보죠."

"허니민트도 부탁드리고 싶네요."

강윤은 웃었다.

"하는 김에 UNI까지 말해보죠. 한 사장님만 확실하다면 말입니다."

그제야 한영숙 사장의 안색이 밝아졌다. 답답했던 해외 진출에 활로가 열리는 순간이었다.

악수가 오간 후, 강윤이 자리에서 일어서려는데 한영숙 사장이 말했다.

"진혜영에게 도는 소문 들어본 적 있나요?"

지예의 걸그룹, 윙클의 센터 멤버였다. 강윤이 고개를 젓자 한영숙 사장은 목소리를 낮췄다.

"……어찌 됐든 진짜로 한배를 타게 됐으니 말씀드리죠. 뜬소문이긴 한데, 그 진혜영이란 애와 관련된 상납 리스트가 있다고 들은 적이 있었어요. 말도 안 되는 소문이긴 하지만…….”

강윤은 GNB엔터테인먼트를 나섰다.

‘……그래, 뜬소문이겠지?’

머리가 복잡했다. 상납 리스트라니, 무슨 리스트인지는 뻔했다.

진혜영은 막말은 물론 월드의 신입 매니저를 폭행 시비에 휘말리게 만든 장본인이었다. 예랑 때부터 콧대 높고 스태프에게 함부로 하는 걸로 소문나 있었다. 비주얼이 워낙 탁월해 인기는 좋았지만 행실이 좋지 않아 오래가지 않을 거라고 판단했었다.

공연장에 도착하니 막바지 리허설이 한창이었다. 스태프들이 바삐 돌아다니고 있는데 가장 중요한 사람이 보이지 않았다.

강윤은 무대 감독을 붙잡고 물었다.

“아아, 공 감독님이요? 진서 씨 와서 쪽방에 있을 겁니다.”

무대 감독이 쪽방을 가리켰다.

쪽방에 들어가니 공호진 연출가와 민진서가 있었다.

“선생님.”

민진서는 환한 얼굴로 손을 흔들었고 공호진 연출가는 어색하게 웃고 있었다.

강윤이 온 이유를 물으니 민진서가 당연한 듯 답했다.

“저도 한 손 거들고 싶어서요.”

“콘서트를? 어떻게?”

“뭐든 좋아요. 쓰레기도 줍기도 좋고요, 저기 의자라도 나를게요."

공호진 연출가가 곤란해하는 이유를 알 수 있었다.

기특함과 난감함이 교차했다. 쓰레기를 줍게 할 수도 없고 무대에 올리기엔 시간이 부족했다.

'출연은 안 돼요. 안 돼…….'

공호진 연출가도 민진서 뒤에서 고개를 흔들었다.

강윤은 민진서를 데리고 3층 야외로 나갔다.

"출연이 힘들다는 건 너도 알고 있지?"

강윤은 그녀의 양어깨를 붙잡았다.

"욕심 때문에 그러는 거 절대 아니에요. 저 아시잖아요. 어떻게든 도움이 되고 싶어서……."

민진서는 우물쭈물했다. 물론 알고 있었다. 진서는 그런 여자니까. 문제는 다른 사람들이 어떻게 볼지 알 수 없다는 거였다.

강윤은 조용히 타일렀다.

"마음만 받을게. 무대는 우리한테 맡기고…… 정 도움이 되고 싶으면 홍보를 해줘."

"홍보요? 전 SNS도 안 하는…… 아, 팬 카페."

민진서의 머리가 반짝였다. 강윤은 손을 내려놓고 말을 이어갔다.

"진서 네가 해야 할 일을 알겠지? 나만 봐준다는 건 기쁘지만 팬들을 잊으면 안 돼. 넌 배우잖아."

"……그렇…… 죠. 맞아요, 그건."

"자, 알았으면 고고."

강윤은 민진서의 등을 떠밀었다. 그녀가 아래로 내려가는 발소리를 듣고 강윤은 담배에 불을 붙였다.

그때, 발소리가 들리는가 싶더니 부드러운 무언가가 강윤의 뺨에 부딪혔다.

"이걸 잊고 갔더라고요. 담배는 적당히."

계속 웃음이 새어 나왔다. 민진서가 돌아가고 강윤은 무대로 돌아왔다.

막 드레스 리허설을 끝낸 가수들은 숨을 몰아쉬며 앉아 있었고 스태프들은 관객석에 앉아 있었다.

모두 일어나려는 걸 강윤은 제지하고는 이야기를 시작했다.

"우여곡절이 지나고…… 일주일밖에 안 남았습니다."

강윤은 고개를 숙였다.

"저 때문에 모두에게 폐를 끼쳤습니다. 죄송합니다. 그래도 다들 잘해주고 있으니 든든합니다."

"우리 회장님 연애도 하고 그래야지. 일만 하다가 보낼 순 없으니까."

주아가 무심히 내뱉은 말에 공연장은 뒤집혔다. 강윤은 멋쩍게 웃었다. 김지민이 눈을 빛냈다.

"저기, 회장님도 연애하시는데 저도 연애…… 하면 안 되나요?"

옆에 앉아 있던 서한유의 눈에 불이 켜졌다.

"절대 안 돼. 하지 마. 남자가 얼마나 위험한 동물인데."

"하하하하."

모두에게 스캔들 같은 건 이미 아무것도 아닌 듯했다.

간단한 다과와 함께 휴식을 취하는데 강윤의 핸드폰이 울려댔다. 원진표였다. 용건을 물으려 하는데 흥분한 목소리가 들려왔다.

—회장님!! 성공했습니다!! 임대산. 소액주주 대표자 이쪽으로 끌어들였습니다!!

기쁨에 원진표는 목소리를 높였다. 매일같이 소액주주 대표를 찾아가 무릎까지 꿇어가며 얻은 성과라고 했다.

강윤의 얼굴도 밝아졌다.

"고생하셨습니다. 이걸로 그 사람을 몰아낼 세력을 만들 수 있겠네요."

소액주주들이 가진 지분이 30%였다. 경영권을 다투기엔 부족했지만 반 강시명 전선을 형성하기엔 충분했다.

차분한 투로 원진표가 말했다.

—이걸 기반으로 기관하고 외국 투자자들을 설득하면 50% 이상을 확보할 수 있습니다. 그렇게 되면 강시명 그놈을 지예에서 내쫓을 수 있을 겁니다.

강윤은 조심하라는 말과 함께 통화를 마쳤다.

이후, 연습이 재개됐다. 주아의 오프닝을 시작으로 하얀달빛, 김지민의 무대로 이어졌다. 보랏빛 조명 아래, 환한 은빛이 공연장 전체로 퍼져 가고 있었다.

2층의 음향 믹서 앞에서 지켜보던 강윤은 무전기 버튼을 눌렀다.

"윤슬 씨가 와이어 탈 때 타이밍이 조금 늦는 것 같군요."

-그런가요. 역시……. 감독님, 약간만 빨리 올려주세요.

공호진 연출가의 답변에 장치 감독은 바로 콘티에 체크하며 무대를 조절해 갔다.

수정을 한 보람이 있는지 이전 무대엔 보이지 않던 금빛 일렁임이 눈에 들어왔다.

1부의 마지막, 이준열과 김재훈의 듀엣이 진행되고 있는데 공연장에 이현지와 팀 엔티엔이 들어섰다.

"안녕하십니까!!"

이현지는 엔티엔 멤버들을 데리고 감독과 스태프들에게 인사시켰다. 폴더 인사를 하는 소녀들을 스태프들은 반갑게 맞아주었다.

엔티엔 멤버들은 서둘러 무대 의상으로 환복하곤 무대에 올랐다. 초대 가수 이후에 진행될 정민아의 솔로 무대 때문이었다.

이어 무덤덤한 얼굴로 정민아가 무대에 올랐다. IEM(인이어 모니터)를 체크하는 그녀의 모습이 신기할 만도 했지만 엔티엔 멤버들의 표정은 잔뜩 굳어 있었다. 그녀들에겐 첫 데뷔 무대였다.

"괜찮아, 긴장들 풀고."

이현지와 책임자 진혜리가 올라와 엔티엔 멤버들의 얼굴과 등을 다독이며 긴장을 풀어주었다.

정민아는 뒤로 힐끔 돌아보며 말했다.

"쫄지 마. 별거 없어."

효과는 없었지만.

더 이상의 배려 또한 없었다. 무대 감독의 신호가 떨어지자 스태프들은 무대 위에서 썰물같이 내려갔다.

정민아가 눈짓을 하자 음향 감독은 믹서를 올렸다.

BPM 150의 빠른 댄스곡이 흘렀다. 정민아는 무대 앞으로 걸어 나오며 골반을 튕겼다. 빠르고 유연해야 하는 곡이었기에 쉽지 않은 곡이었지만 그녀에겐 낙승이었다.

'뭐야? 제법이네?'

맞춰줄 생각에 양옆을 보는데 후배들이 칼같이 따라오고 있었다. 특히 바로 옆에 선 정유리라는 꼬마는 눈에서 레이저를 쏘며 자신을 따라오고 있었다.

'이것 봐라?'

안무가 점점 어려워졌지만 칼군무는 흐트러지지 않았다. 강윤 옆에 선 이혁찬 안무가가 만족한 미소를 지었다.

"애들이 자발적으로 밤새워 연습을 해왔습니다. 민아 선배하고 동작 맞추려면 그 정도는 해야 한다면서요. 처음엔 이것들을 어떻게 다듬어야 할지 고민했었는데……."

"모두가 노력한 덕분입니다. 저 정도면 본격적으로 데뷔 프로젝트를 진행해도 될 것 같네요."

이현지와 진혜리의 눈이 휘둥그레졌다. 구제불능이라며 자전거 여행을 빙자한 훈련을 보낸 것도 컸지만 그런 팀이 콘서트 무대에 서도 될 정도로 탈바꿈했다.

"진 팀장, 이후에도 잘 부탁합니다."

"아…… 네, 네. 물론입니다!!"

엔티엔 데뷔도 잘 부탁한다는 말에 진혜리의 눈은 의욕으로 활활 타올랐다.

♪♩♬♩♪♫♬♩♪

콘서트 개최 2일 전.

강시명은 가수들의 모든 스케줄을 빼고 콘서트 준비에 매달리게 했다. 공연 하루 전까지도 지방 스케줄을 보냈던 과거와 비교하면 파격적인 일이었다.

분위기를 직감한 직원들이야 2시간 전에 출근하며 비상체제에 들어갔고 평소 지각을 일삼던 몇몇 가수까지 10분 전에 나오는 등 성의를 보였다.

한 사람은 예외였다.

[진혜영 씨는 아직도 안 왔나요?]

더 빅 스테이지의 총괄 프로듀서, 이토 료타는 머리를 감싸 쥐었다.

"그, 금방 올 거예요. 애가 컨디션이 좋지 않아서…… 매니저 오빠도 같이 있으니까……."

[그 말 한 지 2시간이 지났어요.]

같은 윙클의 멤버이자 동갑내기 김윤미와 통역 직원은 어떻게든 포장하려 애썼지만 이토 료타의 노기를 가라앉히는 데는 역부족이었다. 리허설 1회차가 끝나고 재차 묻는 거였으니 변명도 무색했다.

2회차가 끝나갈 무렵, 연습이 시작된 지 4시간이 지나서야 진혜영은 공연장에 모습을 드러냈다.

"안녕하세요."

진한 향수와 화장, 생글생글한 미소로 스태프들에게 손을 흔드는 꼴에 이토 료타는 이성을 잃고 말았다.

[연습 시작한 지 4시간이 넘었습니다. 다른 사람들한테 미안하지도…….]

"……아, 또 뭐래."

귀를 파대는 그녀의 행동을 보고 통역하는 직원마저도 굳어버렸다. 보다 못한 김윤미가 그녀의 팔을 붙잡고 타일렀다.

"혜영아. 이, 이러면 안 돼. 빨리 잘못했다고……."

"미친. 착한 척 오지네."

코웃음 친 진혜영은 김윤미를 밀어버렸다.

"꺅!!"

김윤미는 그대로 나가떨어졌다. 이토 료타는 못 해먹겠다며 보이콧을 선언하고는 공연장을 나가 버렸다. 연출가 류마 카이토도 함께 나갔다. 총책임자와 연출가가 보이콧을 선언하는 초유의 사태가 벌어진 것이다.

이 소식은 강시명에게도 그대로 전해졌다. 새로운 투자자를 만나고 있을 때라 태연한 척하느라 진땀을 빼야 했다.

"아하하, 죄송합니다. 갑자기 급한 일이 생겨서……."

"어쩔 수 없지요. 그럼, 다음에……."

결국 예비 투자자를 날린 강시명은 피눈물을 흘리곤 이토 료타에게 달려갔다.

♪♩♬♩♪♬♬♩♪

[이토 씨한테 반항하는 가수라니, 상상도 안 되는군요.]

A-Trust의 대표, 코지마 마코토는 이토 료타의 말에 의아해했다.

[제대로 미쳤어요. 지금까지 많은 가수를 만나봤지만…… 그런 가수, 아니, 조센징은 처음이었습니다.]

[이토 씨, 표현이 좀…….]

[상관없어요. 먼저 쪽바리라고 하는 사람에게 예를 지킬 이유는 없죠. 얼굴하곤 다르게 입은 격이 떨어지네요. 감싸기만 하는 사장도 이해가 안 가고…….]

도무지 이해할 수 없다며 이토 료타는 한숨은 깊어만 갔다.

♪♩♬♩♪♬♬♩♪

콘서트 하루 전, 구로 피달레 센터 앞엔 발전차를 비롯한 여러 차량이 모여 있었다.

강윤은 평소와 달리 오후 3시에 리허설을 마쳤다. 컨디션 관리를 위해 가수들을 돌려보냈고 점검을 마친 스태프들도 하나둘씩 퇴근시켰다.

"수고하셨습니다."

음향 감독이 돌아간 후, 강윤은 1층 VVIP석에서 조명 감독의 메모리 점검 작업을 지켜보고 있었다. 옆에는 AHF의 부사장, 김재호가 앉아 있었다.

"카메라가 부족하진 않지요?"

강윤은 김재호 부사장을 돌아보며 고개를 숙였다.

"충분합니다. 배려 감사합니다."

"아닙니다. 다 잘되자고 하는 거니까요."

세상에 공짜는 없는 법이다. 콘서트를 특별 편성해서 송출하기로 했다. 방송 편성은 강윤도 숙고한 끝에 승낙했다. 이후 출시할 DVD 판매량에 영향을 줄 수 있다는 의견이 있었지만 방송 시간을 1시간으로 조절하는 것으로 해결했다.

방송에 대해 여러 이야기를 나눈 후, 김재호 부사장은 돌아갔다.

조명 감독의 부탁으로 무대 아래에 섰을 때, 이현지에게 전화가 왔다.

–그때 말한 진혜영에 대한 걸 알아봤어요. 이상한 점이 있더군요. '초룡전'을 연출했던 왕치앙(王强)과 이상할 정도로 자주 붙어 다녔다는 소문이 있더군요.

파란 조명이 노란빛으로 변해갔다. 강윤은 말을 이어갔다.

"연기 경력도 없는 아이돌에게 500억 대작인 드라마 주연 자리가 말이 안 되는 일이었습니다. 그것도 여주인공으로 계약까지 맺었던 여배우를 밀어내고 들어간 거니…… 그런데도 이상하게 조용했습니다. 진서 때 같았으면……."

강윤의 인상이 일그러졌다.

민진서가 자신의 작품을 무시했다는 중국 작가의 한마디에 민진서는 배우 생활을 마칠 뻔했다. 그런 곳에서 한국 배우가 자국 배우를 밀어냈는데도 조용했다니. 수상했다.

―심증은 가지만…… 좀 더 알아보고 이야기하죠. 냄새가 나네요.

통화를 마친 후, 강윤도 무대 감독의 부탁에 따라 무대 여기저기를 옮겨 다녔다.

모든 일을 마치고 공연장을 나서니 자정이 훌쩍 넘어 있었다. 설상가상으로 비까지 내리기 시작했다. 입구에서 밖으로 손을 내민 무대 감독의 안색이 어두워졌다.

"금방 그칠 비가 아닌데요."

조명 감독도 심각한 얼굴로 날씨 어플을 켰다. '맑음'이라고 돼 있던 일기예보는 '비'로 바뀌어 있었다. 일주일, 불과 몇 시간 전까지만 해도 맑음이었기에 당혹스러웠다.

"회장님, 저기……."

무대 감독은 입구를 가리켰다.

설상가상으로 줄을 서서 기다리는 사람들까지 있었다. 우산 없이 그대로 비를 맞으면서 자리를 지키고 있었다.

강윤은 그들을 향해 뛰어갔다.

'야야, 이강윤이다, 이강윤.'

'일 엄청 한다더니 진짜가 봐.'

줄 선 사람들은 달려온 강윤을 보고 수군댔다. 매표소를 지키고 있던 직원도 놀라서 달려왔고 감독들도 따라왔다.

강윤이 말했다.

"입장 시간까진 한참 남았는데 벌써 오셨습니까."

"VVIP석 빼면 지정석이 아니잖아요. 좋은 자리에 앉으려면 일찍 와야죠."

빗속에서도 사람들의 눈에는 생기가 있었다.

"어?"

사람들이 계속 늘어가기 시작했다. 모두 강윤을 보곤 연예인이라도 본 듯 반응하는 건 똑같았다.

강윤은 직원에게 물었다.

"당장 준비된 우비가 얼마나 있습니까?"

"스태프용으로 50개 정도 있습니다."

앞쪽에 있던 사람이 손을 저었다.

"괜찮습니다. 이럴 때 비도 맞고 하는 거죠."

다른 사람들도 괜찮다며 사양했지만 강윤은 직원과 함께 우비를 가져왔다. 줄을 선 사람들을 보니 대략 30명 정도 됐다. 예비용까지 하면 적당할 것 같았다.

감독들까지 합세해 우비를 가져왔는데, 사람이 두 배는 늘어 있었다. 50개로는 턱없이 모자랐다. 조명 감독의 차에 있던 우비 20개를 얻어 사람들에게 나누어 주었다.

문제는 근본적인 대책이 아니라는 점이었다. 강윤은 급한 대로 근처 편의점의 우비와 우산까지 모두 털어 사람들에게 나누어 주었다.

이쯤 되니 처음엔 당연하다고 생각했던 사람들도 반응하기 시작했다.

'저 사람 진짜 회장 맞아? 회장이 이렇게까지 해?'

'물러났다잖아. 월드 공무원이라며? 서비스 장난 없네.'

'빨리 찍어봐. 나 강윤빠 될 듯…….'

빗줄기는 굵어졌지만 강윤의 분투는 계속됐다.

얼마 지나지 않아 이현지와 직원들이 천막을 구해왔고 급히 설치하기 시작했다. 흠뻑 젖은 직원들의 모습에 사람들도 팔을 걷어붙였다.

"같이 하죠."

10여 명 남짓했던 직원이 순식간에 수백 명으로 불어났다. 덕분에 천막을 모든 펜스에 설치할 수 있었다. 1시간 남짓한 시간에.

직원들이나 팬들 모두 옷은 홀짝 젖어버렸지만 사방이 떠나가라 웃었다.

이현지가 말했다.

"이대로 있으면 감기 걸려요. 번호표 드릴 테니까 찜질방에서 몸이라도 녹이고 오세요. 옷도 세탁소에 맡겨놓도록 하겠습니다."

사람들이 환호하는 가운데 이현지는 강윤을 째려보았다.

"……물론 여기 회장님이 쏘시는 겁니다."

강윤의 눈이 휘둥그레졌고 사람들은 배를 잡고 웃었다.

웃음이 지나가고 강윤은 고개를 숙였다.

"이른 시간부터 찾아주셔서 정말…… 감사드립니다."

굵어지는 빗소리와 함께 박수 소리가 퍼져 나갔다.

월드의 콘서트, 월드 스테이지는 모두의 분투로 시작되었다.

환웅 올림픽 주경기장 입구는 사람들로 인산인해였다.

그야말로 발 디딜 틈도 없다는 표현이 들어맞았다. 지예의 직원들만으로는 통제가 불가능해서 외주업체까지 동원해야 했다.

10만이 넘는 팬이 공연장을 찾았지만 강시명의 얼굴은 밝지 않았다.

"월드의 이강윤 전…… 크흠, 빗속의 분투로 팬들의 마음을 사로잡았다. 전날, 자정부터 몰린 팬들이 비를 맞는 모습을 본 이강윤은…… 미친."

직원이 가져온 보고서를 읽어 내리는 그의 표정이 점점 썩어갔다.

"하여간, 보이는 데는……."

비 맞는 팬들을 지켜볼 수만 없어서 직접 천막을 설치했다나 뭐라나. 찜질방에 젖은 옷은 말려주기까지? 기가 막힐 노릇이다.

찌익.

강시명은 보고서를 찢어버렸다.

"이 새끼야!! 넌 뭘 멀뚱멀뚱 뭐 하고 있어!! 가서 추첨권이나 더 돌려!!"

애꿎은 직원에게 불똥이 튀었다. 직원이 뛰다시피 하며 문을 나서자 강시명 사장은 공연장 쪽으로 눈을 돌렸다. 무대에선 윙클의 마지막 리허설이 펼쳐지고 있었다.

아래에선 연출가 류마 카이토가 지시를 했고, 뒤에선 총책임자 이토 료타가 그 모습을 지켜보고 있었다.

'진혜영, 저걸 빨리 치워 버리든가 해야지. 저게 머리끝까

지 기어올라선…….'

강시명이 눈이 부르르 떨려왔다. 무대 중앙에서 귀를 파는 진혜영의 모습이 들어왔다. 이젠 포기했는지 두 책임자는 그쪽엔 눈길조차 주지 않고 있었다.

한숨짓고 있는데, 전화가 걸려왔다. 짜증 섞인 목소리로 전화를 받는데 중국어가 흘러나오자 언제 그랬냐는 듯 그의 목소리는 부드러워졌다.

인사를 나누고 용건을 묻는데 상대에게서 심상치 않은 이야기가 들려왔다.

[우리 조연출이 그러더군요. 누가 우리 이야기를 캐고 다닌다는데. 혹 알고 계신 거라도?]

[에이, 감독님도. 캐봐야 나올 게 뭐가 있다고 그러십니까.]

한동안 전화에선 말이 없었다. 강시명의 톤이 달라졌다.

[……그거야, 걱정 마십시오. 아무도 모르니까. 증거도 없고요.]

[그래야죠. 밝혀지면 다 죽는 거니까. 조심합시다.]

통화가 끝나고 강시명은 핸드폰을 소파에 던져 버렸다.

"……그게 왜 우리 이야기야? 지 이야기지."

어느새 리허설이 끝나고 어두워진 공연장엔 사람들이 하나둘씩 들어서고 있었다.

순식간에 들어차는 공연장을 보며 강시명은 언제 그랬냐는 듯 입꼬리를 올렸다.

얼마 지나지 않아 천막이 내려가고 스크린에 영상이 흘러나왔다. 카운트와 함께 중국의 아이돌 가수 TEPP가 모습을 드러냈다.

공연장을 뒤덮는 함성과 함께 더 빅 스테이지의 화려한 막이 열렸다.

스크린에 TEPP 멤버들의 얼굴이 클로즈업될 때마다 함성은 더더욱 커져 갔다. 중국, 한국의 가수들의 홀로그램과 칼군무를 선보이며 관객들을 압도했다.

그들을 보기 위해 VVIP석을 예매한 중국 관객들의 환호성아 특히 컸다.

유명 가수들의 홀로그램이 사라진 자리엔 한국의 걸그룹 헬로틴트가 등장했다. 짧은 펄럭 치마에도 아랑곳하지 않고, 머리에 닿도록 발차기를 하며 남성 팬들의 마음을 사로잡았다.

멤버들이 원을 그리며 손을 잡고 고개를 숙이며 무대는 마무리됐다. 그와 함께 무대는 천천히 내려갔다.

그와 함께 뒤쪽으로 다른 무대가 떠올랐다. 일본 밴드 A1의 등장이었다.

중앙에는 여성 보컬 키무라 리사가 스포트라이트를 받으며 등장했다. 시원한 샤우팅에 이어 한국 노래를 부르며 떼창을 이끌어 냈다.

3층 방송실에서 무대를 지켜보던 강시명의 입가엔 미소가 걸렸다.

"전에 있었던 일들은 다 액땜이었나 봅니다. 허허."

키무라 리사의 어눌한 한국어에 호응하는 관객들의 모습이 그렇게 사랑스러울 수 없었다.

반면 옆에 있던 영유희는 무덤덤한 눈빛으로 무대를 지켜보았다.

A1의 무대가 끝나자 보컬 키무라 리사는 땀을 닦으며 관객들과 이야기를 주고받았다. 이어지는 무대 준비 시간을 벌어주기 위함이었다.

무대 감독의 사인이 떨어지자 키무라 리사를 비추던 조명이 꺼지며 A1이 서 있던 단상도 내려갔다.

그사이 준비를 마친 진혜영이 어두워진 무대 중앙에 섰다.

곧 사인이 떨어지자 불꽃이 터지며 리프트를 타고 남성이 뛰어올랐다. 지예의 인기 남성 그룹 크렌벅스의 리더, 빅텐이었다. 진혜영과 마찬가지로 그룹의 핵심을 담당하는 멤버였다.

두 남녀는 큰 함성을 업고 사이키 조명 샤워를 받으며 어우러졌다.

–나를 봐봐–– 누굴 보고 있니–– 내가 앞에 있는데––

무대가 절정에 달했다. 진혜영은 입고 있던 원피스를 벗어 던졌다. 라인을 드러내는 짧은 의상이 드러나며 빅텐은 그녀의 허리를 끌어안고 그녀와 얼굴을 가까이 마주했다.

진혜영이 빅텐을 밀어내고 한 바퀴 돈 후 마무리 동작을 취하면 끝이었다.

환호 속에 진혜영은 아래로 처져 있던 손을 올렸다.

"!!!!"

연습과 달리 진혜영은 빅텐의 얼굴을 감싸더니 그대로 입을 맞췄다.

빅텐조차 당황해서 눈이 휘둥그레졌지만 그녀는 아무렇지

도 않게 그를 밀어내곤 물러나며 팔을 올리곤 마무리 동작을 취했다. 그도 서둘러 동작을 맞췄지만 한 박자 늦고 말았다.

"재 뭐, 뭐야?!"

빅텐의 팬은 물론 진혜영의 팬들도 그 자리에서 굳어버렸다.

진혜영이 인사하고 들어갈 때서야 박수가 들려오긴 했지만 이전과 같은 뜨거운 반응은 없었다.

스태프들은 물론 강시명도 당황하긴 마찬가지였다. 영유희는 돌리고 있던 볼펜을 떨어뜨렸다.

♪♫♩♪

같은 시간, 피달레 센터에서도 콘서트가 시작됐다.

관객을 안내하는 조명까지 꺼지자 스크린에 흑백 영상이 재생됐다. 주아를 시작으로 이준열, 디에스, 월드 가수 등 출연진을 소개하는 영상이 흘러가며 작게 음악이 들리기 시작했다.

30초 정도의 인트로 영상이 끝나고 음악은 자연스럽게 스트링 연주로 연결됐다. 스크린과 무대 바닥엔 별 같은 형태로 빛이 모이기 시작했다.

천장과 무대 곳곳에 있는 조명과 각종 장치의 움직임도 분주해졌다. 무대가 점점 밝아지자 하얀 드레스를 입은 댄서들이 천장에서 내려왔다. 그들은 우아한 춤으로 오프닝을 열었다.

팬들의 소리가 커지기 시작했다.

중앙으로 모여든 빛이 밝게 퍼져 가며 은은히 흐르던 스트링 연주가 멈췄고 댄서들은 그대로 멈췄다.

드럼의 하이엣 치는 소리와 함께 무대 전체에 불꽃이 터지며 뒤로 댄서들은 드레스를 벗어 던져 굴곡 있는 라인을 드러냈다.

아무것도 없던 무대 단상이 회전하며 뒤편의 하얀달빛이 모습을 드러냈다.

연주가 이어지는 가운데 관객들은 하얀달빛을 외쳤다.

"어? 이현아는?"

다른 멤버들은 다 있는데 가장 중요한 보컬이 보이지 않았다.

그때 사이키 조명이 번쩍이며 중앙에 여성의 실루엣이 비쳤다. 중앙과 양 끝에 위치한 스크린에 한 여성의 얼굴이 확대됐다. 그녀가 오른쪽 눈을 찡긋하는 모습이 그대로 관객들에게 송출됐다.

"주아다!! 우와아아아아아아아아아아------!!"

오프닝을 여는 가수, 주아가 등장했다. 그녀는 하얀달빛 쪽을 돌아보곤 고개를 한 번 끄덕이곤 관객들에게 외쳤다.

"시작해 볼까요?!"

함성의 파도가 밀어닥치며 월드 스테이지의 막이 열렸다.

2층에서 사람들이 무대에 빠져든 모습을 본 공호진 연출가는 감격에 눈물을 글썽였다.

"이걸 정말로 해낼 줄이야……."

이른 타이밍이었지만 강윤은 그녀의 등을 다독여 주었다.

"지금은 집중할 때입니다."

얼굴을 붉히며 공호진 연출가는 급히 눈물을 닦아냈다. 주아가 여는 오프닝은 금빛으로 물들었다. 구석에 있는 관객들에게까지 금빛이 스며들었다.

주아의 무대는 이현아가 이어받아 분위기를 더욱 띄워놓았다. 관객들과 뛰는 무대는 김지민에게까지 전해지며 콘서트에 깊이 빠져들게 만들었다.

한바탕 뛰고 난 후 이어진 이준열의 무대는 발라드로 사람들을 홀려놓았다.

"나도 뛰고 싶었는데……."

"하하하하하."

이준열의 돌발 멘트는 관객들의 웃음을 자아냈다.

그렇게 월드 스테이지는 1부의 마지막 김재훈의 순서로 이어졌다.

'순조롭군.'

누구 하나 빠지는 무대가 없었다. 강윤에게 무대는 금빛으로 환하게 빛나고 있었다.

강윤은 셰무얼과의 브라질 콘서트를 떠올렸다.

금빛 이상의 그 투명한 하얀빛. 설명조차도 힘들었던 그 빛이 머릿속을 맴돌았다. 수십 번의 리허설을 가지며 무대를 수정해 왔지만 그 빛은 단 한 번도 보지 못했다.

"감사합니다!! 2부에서 만나요!!"

김재훈은 노래를 마치고 관객들을 향해 손을 흔들었다.

관객들의 함성과 함께 조명이 꺼졌다.

1부의 끝이었다.

무대가 회전했다. 스크린엔 한 무리의 소녀가 연습실에서 땀을 흘리는 모습이 재생되고 있었다. 마지막에는 'Next to EntN'이라는 문구까지 포함되어 있었다.

무대가 완전히 회전을 멈추자 조명이 비치며 정민아와 엔티엔 멤버들이 모습을 드러냈다.

"준비됐지?"

정민아가 뒤쪽을 보며 눈짓하자 엔티엔 멤버들은 침을 꿀꺽 삼키며 고개를 끄덕였다.

사람들은 시큰둥하다가 정민아를 보니 열광했다. 그녀의 솔로 무대는 이미 정평이 나 있었다.

그녀의 뒷모습을 보는 엔티엔 멤버들의 얼굴엔 여러 가지 감정이 담겼다.

음악이 흐르기 시작했다. 정민아가 T자형 무대로 걸어 나오자 엔티엔 멤버들도 그녀를 중심으로 군무를 맞추기 시작했다. 흐트러짐 따윈 없었다.

"정민아!! 정민아!!"

쉬어가는 시간이었지만 관객들에겐 쉬는 시간이 주어지지 않았다.

예정에 없던 키스 퍼포먼스로 모두가 패닉에 빠졌지만 총괄 기획자인 이토 료타와 연출가 류마 카이토는 침착했다.

[이태준 무대로 바로 갑니다. 멘트 자르고요.]

진혜영과 빅텐의 멘트가 잘려 나가고 바로 솔로 가수 이태준의 무대로 이어졌다.

이태준은 깔끔한 톤으로 관객들을 빨아들이며 깨질 뻔했던 흐름을 이었다.

방송실에서 강시명은 입술을 삐죽대는 진혜영에게 손가락질을 했다.

"제정신이야? 오늘 같은 중요한 자리에서 그따위 짓을 하면 어떡해?!"

"뭐, 입술 좀 박은 게 대수라고……."

짝!!

강시명은 그대로 진혜영의 뺨을 올려붙이자 그녀는 토끼눈으로 강시명을 노려보았다.

"사, 사장님……!!"

"네 병신 같은 행동 때문에 콘서트를 망칠 뻔했다고. 알아?! 이 자리를 만들려고 내가 얼마나……."

진혜영은 분한 듯 눈물을 글썽이더니 뛰쳐나가 버렸다.

강시명이 눈을 부라리며 쫓아가려고 했지만 영유희가 그의 팔을 붙잡았다.

"콘서트 중이에요."

차마 그녀에게까지 화를 낼 수는 없었다. 강시명은 한숨을 쉬며 분기를 가라앉히려 애썼다.

그때 노크와 함께 총괄 기획자 이토 료타가 들어왔다. 그는 단호한 눈빛으로 말했다.

[2부에선 진혜영을 빼주십시오.]

2부에서도 진혜영의 무대가 있었다. 헬로틴트와의 합동 무대를 비롯해 중국 여자 가수들과도 예정된 무대가 있었다.

이토 료타는 진혜영의 연습 부족과 그녀 없이 무대에 서는 연습이 되어 있다는 걸 이유로 들었다.

평소라면 절절매면서 빌었을 강시명이었지만 오늘은 달랐다.

"원하는 대로 하십시오."

동의를 얻고 이토 료타는 바로 무전을 보냈다.

1부가 끝나고 게스트 무대는 VVIP 소속사의 신인 그룹, 트레스빌이었다. 7인조 남성 그룹은 상의를 찢는 퍼포먼스로 여성 팬들의 반응을 이끌어 냈다.

강시명이 트레스빌이 퇴장하는 모습을 지켜보는데 방송실 문이 벌컥 열렸다.

"지금 장난하세요? 저 무대도 서지 말라는 거예요?"

씩씩대며 뛰쳐나갔던 진혜영이었다.

2부 무대를 준비하려다가 스태프에게 제지당하고 강시명에게 달려온 것이다.

영유희는 머리를 붙잡고 나가 버렸고 음향 감독은 나오지도 않는 헤드셋을 끼었다.

강시명은 코웃음을 쳤다.

"자업자득이야. 연습을 제대로 안 했다며. 거기에 콘서트에서 사고까지 친 가수를 무대에 어떻게 올려?"

"뭐라고요? 하, 기가 막혀서…… 어떻게 사장님이 나한테 이럴 수 있어요? 사장님 때문에 내가 어떻게 했는데?"

강시명의 눈이 흔들렸지만 다시 눈에 힘을 주곤 외쳤다.

"아무튼 안 돼."

몸을 떨던 진혜영은 그대로 방송실을 나가 버렸다.

문가에서 안절부절못하고 있던 매니저는 강시명의 손짓을 보곤 쫓아갔다.

그녀가 나간 후, 영유희가 들어왔다.

"적당히 하고 빨리 치우죠."

"죄, 죄송합니다."

부끄러움에 강시명은 고개를 들지 못했다.

♪♪♪

피달레 센터에서는 2부가 시작됐다.

1부를 연 주아가 각종 효과를 받으며 화려하게 등장한 것과 달리 디에스는 스포트라이트 아래 조용히 등장했다.

어쿠스틱 기타 연주가 공연장을 울리며 윤혜린과 김진경은 눈을 감고 마이크를 들었다.

"아리랑-- 아리랑-- 임의 고개로--"

재즈로 편곡한 아리랑이었다. 윤혜린이 노래를, 김진경이 화음을 넣자 관객들도 눈을 감았다.

부드러운 선율을 이어가던 디에스는 통기타의 챙 하는 소리와 함께 배에 힘을 주며 입소리를 냈다. 밴드를 비롯해 각종 악기들이 더해지며 아리랑은 다른 음악으로 변해갔다.

디에스의 무대를 이어받은 건 유리였다. 잔잔했던 무대를 구성진 목소리로 받아 분위기를 끌어올렸다.

지예에서도 2부가 시작됐다.

무대 중앙에 분수가 올라오고 각종 특수효과가 연달아 터져 나왔다. 천장에선 리프트가 내려왔고, 크레인이 동원되는 등 각종 장치가 동원됐다.

두 콘서트가 숨 가쁘게 진행되는 동안 밖에서도 전쟁이 벌어지고 있었다.

더 빅 스테이지는 파인스톡에서, 월드 스테이지는 세이스를 통해 유료로 중계되고 있었다.

문제는 시청자 숫자였다.

–빅스(더 빅 스테이지) 7만. 월스(월드 스테이지) 15만.

–빅스는 다 직관 가서 보는 사람이 적은 듯합니다. 월스는 직관 티켓이 적어서 시청자 수가 많은 거죠.

방송을 보며 사람들은 채팅방에 의견을 표출했다. 자신들이 하는 커뮤니티에 실황을 옮기는 사람들도 있었다.

–두 개 다 틀어놓고 보는데, 월스 연출 미쳤네요. 무대는 빅스가 몇 배나 더 큰 데 연출에서 상대가 안 되네요. 스크린 안에 사람 들어갔다 나오고…….

—월스 무대 진짜 장난 없어요. 오프닝부터 예술이에요. 지금까지 번 돈 전부 쏟아부은 듯. 이강윤, 민진서…… 크흑. 나쁜 놈.

—신인 연출가 썼다는 소문 듣고 직관은 포기했었는데 후회 중입니다. 이강윤 신의 눈인 듯.

—작곡에 앨범 제작 공연까지 천재과네요.

콘서트 중에도 두 회사의 상황은 여기저기로 퍼져 가고 있었다.

♪♫♩♪

2부가 콘서트가 한창일 때, 영유희는 전화를 받고 있었다.

"……일단은 원진표가 원하는 대로 맞춰주세요. 주주들이 위임장 도장 찍을 때까지만요."

몇 마디를 더 하고 통화를 마치려는데 떠는 목소리가 들려왔다.

—저…… 근데 약속하신 건…….

"말한 대로만 해요. 이사 자리 하나쯤은 내줄 테니까."

감사하다는 말이 몇 번이나 들려왔지만 영유희는 다 듣지 않고 종료 버튼을 눌렀다.

"돈 앞에 흔들리지 않는 사람은 없지."

아무 일도 없는 듯 영유희는 다시 방송실로 들어갔다.

♪

밤 11시가 넘어서야 콘서트는 끝이 났다. 정확히 월드 스테이지가 끝난 시간이었다. 더 빅 스테이지는 10시가 조금 못 돼서 끝을 맺었다.

이유는 간단했다. 월드 스테이지가 앙코르를 1시간이나 진행했다.

1시간이 지나고도 공연이 끝나지 않자 강윤은 서둘러 공연을 끝마치게 했다. 자칫 차라도 끊어진다면 문제가 생길 수도 있었다. 모두가 아쉬워했지만 어쩔 수 없었다.

콘서트가 끝난 후 뒤풀이가 있었다.

하지만 강윤은 참여하지 못했다. 거짓말처럼 콘서트가 끝나자마자 바닥에 쓰러지듯 누워 버리고 말았다. 비까지 맞으며 강행군을 해온 것이 이제야 몸에 나타난 것이다.

수건에서 물을 짜내며 희윤은 몸져누운 강윤을 향해 한숨지었다.

"오빠는 다 좋은데, 너무 무리한단 말이야. 그게 제일 나쁘다고."

강윤은 힘없이 웃을 뿐이었다. 옆에서 걱정스레 강윤을 바라보던 민진서는 그의 이마에 자신의 이마를 댔다.

"으, 불덩이. 당분간 절대 무리하면 안 돼요."

"……알았어."

"말만 그러지 말고요."

문가에서 물수건을 들고 서 있던 희윤의 얼굴이 점점 일그러졌다.

"……진서 씨."

"하하……."

찬 기운을 풍기는 희윤을 보니 민진서의 등에 진땀이 흘렀다. 스캔들 때문에 미운털이 박힌 것 같았다.

강윤의 머리맡에 있던 전화가 울렸다. 민진서는 걱정스레 고개를 젓다가 강윤의 표정에 눌려 통화 버튼을 누르고 귓가에 대주었다. 이현지의 목소리였다. 그녀는 안부를 물은 후 용건을 이야기했다.

–짧게 할게요. 연출, 출연진은 흠잡을 곳이 없어요. 수익도 괜찮아요. 투자사에게 돌아가는 부분도 있다지만 이 정도면 좋아요. TV 방영으로 광고 수익 일부를 받기까지 했으니. 이만하면 월드 스테이지는 성공적이에요.

강윤이 안도의 한숨을 내쉴 때, 이현지가 말했다.

–이제 지예와 비교해 볼 차례군요.

이현지는 숨을 고르곤 말을 이어갔다.

–세이스를 통한 인터넷 라이브 시청이 많았어요. 지예 쪽은 17만 명이라고 하네요. 반면 우린 100만 명이 넘었어요. 덕분에 세이스에 서버 유지에 애를 많이 썼다더군요. 거기에 AHF에서 광고 수익이 들어오면 총 수익 차이는 좁혀지겠네요. 그리고…….

이야기가 길어지려 하자 민진서는 강윤의 귓가에서 핸드폰을 뺏어 들었다.

강윤이 토끼 눈을 했지만 민진서는 아랑곳하지 않았다.

"죄송해요, 언니. 지금 선생님이 전화를 받을 상황이 아니라서요. 아, 네. 몸이 많이 안 좋으세요. 나중에 꼭 연락드리라고 말씀드릴게요."

민진서는 종료 버튼을 누르고 핸드폰을 방구석으로 밀어버렸다.

강윤은 기가 찼다.

"뭐 하는 거야? 중요한 전화였는데……."

"저한텐 선생님이 더 중요해요. 제발 오늘만이라도 아무것도 하지 말고 쉬세요. 급한 건 다 끝났잖아요."

따지려던 강윤은 순간 멈칫했다. 민진서의 큰 눈에선 금방이라도 눈물이 떨어질 것 같았다. 결국, 강윤은 졌다는 시늉으로 이불을 머리끝까지 덮어썼다.

"헷."

민진서는 이불째로 강윤을 끌어안았다. 엄마에서 여자로 표정을 바꾸면서.

♪♫♩♪♫♪

월드 스테이지와 더 빅 스테이지가 마무리됐다.

시작부터 같은 날에 열린다며 경쟁 구도를 형성해 화제 몰이를 한 후에도 계속 사람들 입에 오르내렸다.

업계의 평가를 대변한다는 공연업계 월간지 '라이브'에 월드와 지예의 콘서트 평가가 실렸다.

월드는 괴물 신인 연출가의 등장과 TV 방송, 팬서비스 등으로 이름값을 높였다고 평가했다. 지예에 대해서는 트러블에도 회사 이름을 내세운 첫 콘서트를 잘 마무리한 것을 높이 샀다.

언론도 기사를 양산하며 저울질에 나섰다.

—지예, 더 빅 스테이지로 100억 이상의 수익 거둬…… 공연의 새 역사 열다.

—월드 스테이션, 40억의 수익에 방송으로 약 20억 이상 수익 거둬…… 순수익은 글쎄……?

수익을 예로 들며 언론은 지예의 손을 들어주었다.

하지만 사람들의 평가는 달랐다.

—빅스 직관 다녀왔습니다. 빅스 좋았어요. 근데 월스 방송으로 보고 내가 호갱이 됐다는 걸 깨달았습니다. 연출이 미쳐 날뛰고 있습니다.

—앵콜 1시간하고 미친놈처럼 놀고 왔어요. 완전 노래방 온 줄. 가수들이 놓아주질 않아요!!

—12시부터 월스 입장 기다렸던 사람입니다. 이강윤 회장님이 밤새 비 맞지 말라고 직접 텐트까지 쳐 줬습니다. 아침엔 도시락까지 주더군요. 여친 따라 왔다가 진짜 팬이 됐습니다. 내년에 또 뵙겠습니다.

많은 사람이 월드 스테이션의 연출과 서비스를 높이 평가하며 손을 들어주었다. 두 회사의 영상을 비교해서 이유를 제시하는 사람도 많았다.

거기에 진혜영과 빅텐의 키스 퍼포먼스까지 더해져 윙클과 크렌벅스의 팬들이 대거 이탈하는 사태까지 벌어졌다.

[……월드 스테이지를 본 대기업들과 해외 기업들의 임원들은 공연 사업을 위해 가장 투자하고 싶은 기업으로 월드를 꼽았다. 월드 스테이지에 투자한 이후, 네이처이모션은 이미지 쇄신과 함께……(중략)…….]

사무실에서 기사를 읽던 강시명의 입가엔 경련이 일어났다.

"아오오!!"

결국 또 월드에 밀리고 말았다. 제대로 비교당하며 땅속 깊숙이 박혀 버렸다.

수익 규모는 더 컸지만 사람들의 평가까지 어떻게 하지는 못했다. 월드를 누르고 1위 기업으로 올라서기는커녕 만년 2위 이미지를 굳히고 만 것이다.

갖은 욕을 먹어가며 월드와 공연 날짜까지 맞추는 무리수까지 강행했는데…… 속이 부글부글 끓었다.

강시명은 비서를 호출하고는 안면 근육을 떨며 사방이 떠나가라 외쳤다.

"앞으로 진혜영 고년 스케줄 다 빼버려."

"곧 연말이라 헬로틴트 스케줄이……."

비서는 반대 의견을 말하려다 강시명의 불타는 눈빛과 마주하고 입을 닫았다. 사장이 강짜를 부리면 무슨 말을 해도 소용없다는 것을 알기에 지시대로 하겠다며 사장실을 나섰다.

며칠 후.

콘서트 이후, 쉬다가 스케줄을 나가려 했던 진혜영은 사장실로 달려왔다. 그녀 입장에선 뜬금없이 스케줄을 빼앗긴 꼴이었다.

진혜영이 이런 법이 어딨냐며 소리치자 강시명은 사람 좋은 미소로 그녀를 타일렀다.

"콘서트에서 빅텐하고 키스한 때문에 시끌시끌하잖아. 길지 않아. 잠깐만 쉬자, 응?"

"중국 스케줄 잡으면 되잖아요. 그쪽은 별말 없던데. 뒤봐주는 사람도 많고……."

순간 강시명의 눈에 불이 켜졌다가 꺼졌다. 그는 진혜영의 어깨에 팔을 두르며 은밀히 말했다.

"너 또…… 하아, 나한테 계획이 있으니까 1월까지만 참자. 아무것도 하지 말고. 제발, 알았지?"

"……얌전히 놀기만 하라는 거죠? 그러죠, 뭐."

진혜영은 입술을 삐죽대다가 사장실을 나섰다.

"아오, 밑에서 빌빌대던 년을 끌어 올려놨더니 발랑 까져가지곤……."

문을 보는 강시명 사장에게서 속 끓는 소리가 났다.

콘서트가 끝난 후 비상 체제에 들어갔던 월드도 정상으로 돌아왔다.

회장 자리에서 물러난 강윤은 그동안 못한 작곡과 앨범 제작에 나섰다. 이현지는 경영과 지원 업무에 힘을 쏟았다. 한편으론 원진표 쪽을 지원하고 진혜영에 대해서도 조사했다.

바쁜 나날을 보내고 있는데 원진표가 이사실을 찾았다. 그는 책상 위에 노란 서류 봉투를 올려놓으며 하얀 이를 드러냈다.

“여기 임대산 씨가 소액 주주들에게서 받은 위임장들입니다. 확실하게 지분 30%를 확보했습니다.”

눈빛을 태우는 원진표를 향해 이현지는 차분히 답했다.

“고생하셨어요. 임시총회를 열 권한이 생겼네요. 최소한의 조건은 갖췄어요. 이제부터가 중요해요. 보안 유지하고요. 그쪽에서도 원 사장님이 소액주주들을 만나고 다닌다는 걸 알고 있을 겁니다.”

원진표는 무겁게 고개를 끄덕였다. 이후, 외국인 투자자들을 먼저 설득하고 기관 투자자을 끌어들일 방법들을 이야기했다.

이야기를 마친 후, 이현지는 창밖으로 원진표가 탄 밴을 바라보며 중얼거렸다.

“너무 순조로운 게 이상해. 그때처럼 이용만 당하면 안 되는데…….”

같은 시간, 5층 연습실에선 댄스팀 그렘픽의 연말 가요대

전 연습이 한창이었다.

가요대전의 마지막을 장식하게 된 김지민의 무대였다.

급하게 턴을 돌다가 다리에 힘이 풀린 김지민은 엉덩방아를 찧으며 주저앉았다.

"후우, 후우…… 미안해. 좀 빨랐나?"

김지민은 리더 신윤혜를 보며 볼을 긁적였다. 신윤혜는 김지민의 손을 잡고 일으키며 지도에 나섰다.

"다시 해보자. 왼발을……."

신윤혜는 뻣뻣한 김지민의 다리를 잡고 움직이며 호흡을 맞춰 나갔다.

연습실 뒤편에서 강윤은 이를 지켜보고 있었다.

한참 연습을 지켜보고 있는데, A&R 1팀 팀장 오지완이 다가왔다.

"회장님, 비행기 시간 다 됐습니다."

벽에 걸린 시계를 보니 3시였다. 저녁 비행기를 타기 위해서는 지금쯤 나가야 했다.

강윤은 오지완을 비롯해 몇몇 직원과 함께 공항으로 향했다. 수속을 밟고 비행기에 오르니 어느덧 해가 지고 있었다. 강윤은 옆 좌석에 앉은 오지완을 돌아보았다.

"녹음할 때는 주예아가 제일 예민하니까 신경 써야 할 겁니다."

"걱정 마십시오. 가서 따로 할 일이 있다고 하지 않았습니까. 신경 쓰이지 않게 잘하겠습니다."

오지완은 엄지손가락을 들었다.

윤슬이 다이아틴의 다음 디지털 싱글 작업을 위해 강윤에게 도움을 청해왔다. 덕분에 직속팀 A&R 1팀과 함께 중국행 비행기에 올랐다.

공항에 도착하니 한 여성이 강윤을 기다리고 있었다.

[제가 기다리게 했나요?]

강윤의 말에 여성은 고개를 흔들었다. 연예소식9의 기자, 조희영이었다.

직원들을 먼저 숙소로 보낸 후 강윤은 조희영과 함께 시내에 있는 한 바로 향했다.

나란히 앉아 칵테일 잔을 부딪치며 작게 깐빠이를 외쳤다.

[실직자가 되긴 했지만…… 속은 후련하네요.]

조희영 기자는 씁쓸히 잔을 털어 넣고는 짧게 신세 한탄을 늘어놓았다.

편집장 지위강과 강시명의 관계를 털어놓은 이후 압박에 시달리다가 회사를 나왔다고 했다.

강윤의 표정에 어둠이 깔리자 조희영 기자는 피식 웃었다.

[처음엔 원망했는데 회장님 탓이 아니잖아요. 그 인간들이 나쁜 거지. 아무튼…….]

조희영 기자는 누런 서류 봉투를 탁자에 올려놓았다. 강윤이 서류를 꺼내니 하얀 종이가 보랏빛으로 번들거렸다.

[왕룽 PD는 여자 관계가 복잡하군요.]

강윤은 인상을 찌푸렸다. 조희영 기자도 마찬가지였다.

[능력은 있지만 색을 밝히는 사람이죠. 대본 리딩할 때나 회의할 때 여자 스태프들에게 끈적대기로 소문이 나 있어요. 돼지같이 배

만 튀어나와선…… 그래도 이 바닥에선 나름 거물 취급 받는 사람이라…… 조만간 독립한다는 이야기도 들었어요.]

강윤은 서류를 읽어 내려갔다. 왕룽 PD와의 관계가 의심가는 사람이 적혀 있는 리스트였다.

조연급 연예인으로 시작해서 밑에서는 주연급까지 있었다. 중국 이름들이 가득했지만 진혜영이라는 이름은 없었다.

강윤이 이유를 묻자 조희영 기자는 어깨를 으쓱였다.

[그렇다면 잔챙이를 상대하는 수준이 아니라는 이야기겠죠. 아, 이것도 구하려고 발품 꽤나 팔았는데…….]

조희영 기자의 푸념을 들으며 강윤은 그녀의 잔을 채워주었다.

다음 날, 강윤은 하야스 백화점으로 향했다. 점심 약속 때문이었다. 이사 류양을 만난 후, 하야스 백화점 사장 리웬타오가 기다리고 있는 중식 레스토랑으로 향했다.

긴 테이블에 30개가 넘는 그릇이 놓였다. 사장과의 점심이라는 긴장 때문인지 류양 이사는 진땀을 흘렸다.

음식과 술잔이 오가며 리웬타오 사장은 차가운 표정을 풀고 강윤을 향해 미소 지었다.

강윤이 주선해 명품관에 입점한 네이처이모션이 한 달 만에 매출 1위를 달성했다며 앞으로도 잘 부탁한다는 말이 이어졌다.

화기애애한 분위기 속에 강윤은 리웬타오 사장의 빈 잔을 채우며 조심스레 본론을 꺼냈다.

[이전에 윙클이라는 아이돌을 모델로 쓰셨던 거 기억하십니까?]

리웬타오 사장은 잠시 생각하더니 얼굴이 일그러졌다.

[그…… 6인조 여자 그룹을 말하는 거군요. 기억은 하지만 좋지는 않네요.]

윙클이 모델일 때 다이아틴을 내세운 시얀 백화점에 완벽하게 밀려 버렸다. 그때를 떠올리니 입맛이 썼다.

류양 이사가 서둘러 끼어들었다.

[하하. 윙클을 모델로 쓴 기간은 짧았죠. 역대 최단 기간일 겁니다. 위약금까지 물어주면서 치워 버렸으니. 하여간 그 사람 참…… 그런데 그걸 왜 묻는지요?]

떨리는 마음으로 류양 이사는 리웬타오 사장의 눈치를 봤다. 그에게도 좋지 않은 기억이었다. 한때 강시명 사장과 꽤 가까이 지냈었으니까.

강윤의 말은 계속됐다.

[실례가 아니라면 윙클이 어떻게 선발된 건지 과정을 알고 싶습니다.]

류양 이사는 움츠러든 얼굴로 강윤의 팔을 덥석 잡았다.

'저기, 그때 이야기는…….'

[류 이사, 괜찮아. 어려운 이야기도 아니고.]

리웬타오 사장은 담담한 얼굴로 술을 단번에 넘겼다. 술기운에 얼굴이 살짝 일그러졌다.

[그때 광고를 담당한 직원이 그쪽 사장한테 뇌물을 받고 그 6인조 여가수를 섭외했다 하더군요. 그래도 정도가 있지, 이미지도 맞지 않는 가수들을 왜 섭외한 건지.]

[혹시 몸로비를 말씀하시는 겁니까?]

리웬타오 사장은 고개를 끄덕였다.

[맞아요. 그쪽 사람이라 동사장은 눈치가 빠르군요. 여가수 중 하나와…… 뭐, 그것까진 알고 싶지는 않았어요. 내 사람 중에 그런 놈이 있다는 게 수치스러울 뿐이군요.]

얼굴까지 붉히는 리웬타오 사장을 보니 더 물을 수 없었다. 회사의 치부를 스스럼없이 드러내는 모습에선 더 가깝게 지내자는 압박도 느껴졌다.

식사를 마친 후, 강윤은 레스토랑을 나섰다. 다음 행선지는 AFDN 방송국이었다.

운전대를 잡은 강윤의 머릿속은 복잡했다. 다이아틴의 중국진출을 돕던 시절엔 윙클이 어떻게 뽑혔는지 궁금했었는데 그런 이유가 있었다니. 찝찝했다.

로비에 들어서서 핸드폰을 드는데 정장 무리와 그에 둘러싸여 방송국을 나서는 한 여성의 모습이 눈에 들어왔다.

'진혜영?'

분홍 브라우스와 치마가 한창때의 여대생 같았다. 머리가 하얗게 센 어른들의 팔짱을 끼곤 웃음을 흘리니 주변이 정신을 차리지 못하고 있었다.

강윤은 서둘러 기둥 뒤에 몸을 숨겼다. 기둥 옆으로 진혜영과 정장 무리가 스쳐 지나갔다.

입구에서 머리 하얀 남자와 차에 오르는 모습을 보고 강윤은 입구의 주차장으로 뛰어갔다.

선약한 PD에게 다음에 밥을 사겠다는 말을 되풀이하며

강윤은 가속 페달을 밟아갔다.

다행히 진혜영과 정장 무리가 탄 리무진은 멀지 않은 곳에서 신호를 받고 있었다. 강윤은 거리를 벌리고 클랙슨을 울리며 차들 사이를 헤엄치듯 추적했다.

비상 지시등도 켜지 않고 수시로 끼어드는 차가 많았지만 매니저 시절부터 단련된 운전 실력으로 끈질기게 따라붙었다.

30분을 달려 리무진은 도시 외곽에 있는 고급 저택의 정문 앞에 멈췄다. 정문을 지키던 가드 무리는 리무진 기사와 몇 마디를 나누더니 손짓해 통과시켰다.

정문 앞에 긴 장애물을 놓인 걸 보고 강윤은 근처에 차를 숨기고 리무진이 나오기를 기다렸다.

이현지에게 전화해서 현재 상황을 전하니 놀라는 목소리가 들려왔다.

—거기 투자회사 복타이 동사장, 영즈첸의 저택이에요. 쾌남으로 소문이 자자하던데 아무래도 진혜영 뒤를 봐줬던 모양이네요.

이현지는 한숨을 쉬었다. 현재 지예의 대주주로 있는 회사의 동사장이 얽혀 있다니.

“아무래도 직접 가 봐야겠습니다.”

이현지는 위험하다며 말렸지만 강윤을 말릴 순 없었다.

혹시라도 무슨 일이 생기면 뒤를 부탁한다는 말을 남기고, 강윤은 정장 무리가 지키고 있는 정문으로 걸어갔다.

[누구야?!]

여유롭게 걸어오는 강윤을 보자 얼굴에 칼자국이 있는 남자는 경계했다.

[영즈첸 회장님을 만나고 싶어서 왔습니다.]

정장 무리는 서로를 바라보다가 헛웃음을 터뜨렸다. 말끔한 옷을 입은 수상한 놈이었다.

칼자국이 난 남자가 지겹다는 얼굴로 손짓할 때 강윤이 말했다.

[월드 스테이션의 이강윤이 찾아왔다고 전해주십시오.]

정장의 남자들은 강윤을 쫓아버리려고 했지만 칼자국이 있는 남자는 손을 들어 그들을 막았다. 그가 실눈을 뜨고 노려보자 강윤은 여권과 함께 명함, 회사에서 쓰는 신분증까지 건넸다.

한참 동안 강윤과 신분증을 번갈아 보던 남자는 전화를 걸었다. 언성이 높아지고 잦아들기를 반복했다.

20분 정도 지났을까.

저택에서 차 한 대가 다가왔다. 운전석에서 내린 여비서는 칼자국 난 남자에게서 다가가 강윤의 신분증을 건네받고는 강윤의 얼굴을 살폈다.

확인을 마친 후 여비서는 강윤에게 고개를 숙였다.

[갑자기 찾아오신 손님이라 실례를 했습니다. 어서 오십시오. 안에서 동사장님이 기다리고 계십니다.]

강윤은 여비서가 운전하는 차에 올랐다.

이동하며 보니 도로를 따라 동산과 정원이 끝도 없이 이어졌다.

저택에 가까워질 무렵 여비서가 말했다.

[갑작스럽게 방문한 손님을 받는 건 이 동사장님이 처음입니다.]

여비서는 강윤에게 저택에서 조심해야 할 것들을 설명해 주었다.

5분 정도를 더 달려 저택에 도착했다. 로비 안으로 들어가니 정복을 입은 직원들이 허리를 숙이며 맞아주었다. 2층에서는 붉은 정장을 입은 중년 남성이 계단을 내려왔다.

당당한 체구의 남자는 강윤의 손을 맞잡으며 하얀 이를 드러냈다.

[하하하. 이렇게 만나게 될 줄은 몰랐어요. 내가 영즈첸입니다.]

어깨에 힘이 들어간 모습이 성격을 드러내고 있었다. 그의 뒤로 강윤이 추적한 사람들이 있었다. 가슴이 파인 빨간 드레스를 입은 진혜영을 중심으로 정장을 입은 남성 무리가 가득했다.

진혜영은 강윤을 향해 윙크를 했다. 움찔하는 강윤을 보고 영즈첸이 껄껄 웃었다.

[그러고 보니, 이 아이는 이 동사장도 알겠군요. 그, 허니…….]

[에이, 어르신도 참. 윙클이에요. 전 진혜영이고요.]

진혜영이 콧소리와 함께 아양을 떨었고 영즈첸은 껄껄 웃었다. 어색하게 느껴지진 않지만 위화감이 들었다. 연출일 수도 있었고. 다양한 생각이 스쳐 갔다.

물론 드러나는 미소는 밝았다.

[세상이 넓다지만 이럴 때는 좁게 느껴지네요. 윙클은 에디오스의 좋은 라이벌입니다. 덕분에 항상 긴장하며 일에 임할 수 있어서 감사하고 있습니다.]

[하하하. 이 동사장은 참 재미있군요. 여기 이 아이와는 보기 참 껄끄러울 텐데 말이죠.]

영즈첸은 호쾌한 표정으로 곤란한 질문을 던졌다. 진혜영이 월드의 신입 매니저 김성민과의 트러블로 여론이 시끌시끌하게 만든 사건을 말하다니.

[동사장님도 참, 부끄럽게 철없던 시절 일을……]

진혜영은 교태 섞인 목소리와 함께 얼굴을 붉혔다.

[작은 트러블일 뿐입니다. 다 끝난 일로 얼굴을 붉히는 건 맞지 않습니다.]

강윤의 답이 마음에 들었는지 영즈첸의 웃음소리는 더욱 커져 갔다.

천천히 저택을 둘러보는 세 사람 뒤로 정복을 입은 여러 직원이 따라다녔다. 마치 왕의 행렬을 생각나게 했다. 강윤이 자꾸 뒤를 힐끔힐끔 돌아보자 영즈첸은 의아해했다.

[왜요? 궁금한 것 있습니까?]

강윤의 눈은 '행렬'에 섞여 있는 진혜영을 데려온 사람들에게 향해 있었다. 대놓고 물어보기도 그랬다. 다행히 영즈첸은 손짓하며 그들을 앞으로 불러 모았다.

[TUBB 방송국 예능국 국장, 주원입니다.]

[롱아하오 총경리 리웬보입니다.]

4명의 남자는 강윤과 악수를 나누며 명함을 교환했다.

인사를 끝내자 영즈첸이 앞으로 나서며 모두를 안내했다. 정원에 도착하니 긴 탁자 위에 각종 산해진미가 준비되어 있었다.

요리사들은 불을 피워 요리를 내왔고 치파오를 입은 여직원들은 요염과 기품을 섞어놓은 자태로 음식을 놓았다.

영즈첸은 강윤을 맞은편 끝 상석에 앉게 하고 계속 말을 걸어왔다. 진혜영을 비롯한 사람들은 양쪽에 나란히 앉았지만 쉽게 끼어들지 못했다.

[시얀과 하야스 백화점 사업 확장에 한 손 거들었다고 들었지요. 두 회사는 지금도 알아주는 앙숙인데 어떤 비결이 있는지 궁금하군요.]

[진심을 다했을 뿐입니다.]

강윤의 간단한 답에 영즈첸은 웃음을 터뜨렸다.

근래에 본 사람 중 가장 재미있는 사람이었다. 대부분의 사람은 자기를 두려워했다. 그런데 이 사람은 그런 모습이 없었다. 그렇다고 재지도 않았다. 아직 마흔 줄에도 접어들지 않았다고 들었는데 이런 사람을 만나긴 쉽지 않다.

영즈첸은 젓가락까지 내려놓고 그의 말에 귀를 기울였다.

강윤은 과거의 트러블을 접어두고 류양 이사의 체면을 살려준 이야기들을 언급했다. 류젠린과 서한유의 사건 이야기를 듣고 영즈첸은 놀랐다.

[우린 체면에 죽고 사는 사람이니…… 들어보면 이곳에 대해 참 이해가 깊은 것 같습니다. 이거 유희가 상대하기 쉽진 않을 것 같은데. 우리 관계야 어쨌든, 개인적으론 이 동사장이 마음에 듭니다.]

강윤은 웃음으로 답을 대신했다. 영즈첸이 말을 이어갔다.

[그건 그렇고, 단순히 날 만나고 싶어서 온 건 아니라고 생각하는데.]

이곳에 방문한 이유가 무엇인가?

중요한 시점이었다. 옆자리에 앉은 진혜영과 함께 온 사람들의 젓가락도 멈췄다.

[솔직히 말씀드리면 지예의 실세인 영유희 본부장 뒤에 있는 분이 어떤 분인지 궁금해서 찾아왔습니다.]

[호오라, 그래서?]

강윤의 눈이 빛났다.

[공과 사를 명확히 구별하는 사람이라는 걸 알았습니다.]

[크하하하하하!!]

영즈첸은 사방이 떠나가라 웃음을 터뜨렸다.

영유희가 어려움에 처하더라도 도와주지 않을 것이다. 당신은 공과 사를 명확히 구분하는 사람이니까.

그렇게 말하고 있었다.

한참을 웃던 영즈첸은 이글거리는 눈빛으로 강윤을 노려보았다.

[그래서, 내가 나서지 않으면 딸애는 이길 수 있다?]

[딸이 아니라 지예입니다. 공정한 경쟁을 할 수 있겠죠.]

탕탕.

영즈첸은 손바닥으로 탁자를 치면서 폭소했다. 옆에 앉은 사람들이 두려움을 느끼고 굳어버릴 정도였다.

만찬이 끝난 후, 강윤은 영즈첸이 준 쇼핑백들을 들고 정문을 나섰다.

숨겨둔 차를 타고 저택과 멀어져 가니 확신이 들었다.

'다른 사람은 몰라도 영즈첸은 아니야.'

강윤은 조수석을 힐끔 바라보았다. 만찬 전에 받은 4장의 명함이 어지러이 놓여 있었다.

다음 날.

아침부터 불려나온 조희영 기자는 부은 얼굴을 일그러뜨렸다.

[아무리 동사장님이라도 이런 호출은 실례예요.]

강윤이 산 아메리카노를 단번에 비워 버린 그녀는 명함과 함께 이야기를 듣자 부은 눈을 휘둥그레 떴다.

[그러니까 이 사람들 뒤를 캐면 스캔들이 나올 거다, 이 말이죠?]

다른 사람이었으면 당장 자리를 박차고 일어났겠지만 이 사람의 말은 신뢰가 갔다. 어차피 회사도 잘리고, 당장 배곯는 입장이다. 물불 가릴 처지가 아니었다.

그녀가 승낙하자 강윤은 커다란 가방을 건넸다. 내용물을 꺼내 든 조희영 기자의 입이 쩌억 벌어졌다.

[세상에, 이거 1,000㎜ 줌렌즈잖아요. 얼마나 먼 데서 당기라고…….]

가방엔 초고화소 DSLR까지 있었다. 계산하면 2천만 원 상당의 초고가 장비였다. 거기에 강윤은 법인 카드까지 건넸다.

[계약금 대신입니다.]

조희영 기자의 눈빛에 날이 섰다. 그녀는 바로 진혜영이 있다는 호텔로 출발했다.

"뭘 어쩌긴 어째!!"

강시명은 사방이 떠나가라 소리치자 1팀 팀장, 김혁권은 목을 움츠러뜨렸다. 이어 쾅 소리와 함께 강시명은 책상을 주먹으로 내려쳤다.

"됐으니까, 꺼져."

김혁권 팀장이 도망치듯 나가고 강시명은 머리를 쥐어뜯었다.

「드라마 '하청춘' 출연 요청서 –주연 진혜영 : 제작사 롱아하오 대표 리웬보.」

1팀 팀장이 가져온 서류를 보니 속이 뒤집어졌다.

"연기 연습도 안 하면서 연기하겠다고…… 아오!! 이걸 어떻게 처리하지?"

조희영 기자에게 진혜영 추격을 맡긴 후, 강윤은 본업으로 돌아왔다.

윤슬 소속의 중국인 작곡가, 드어의 곡을 편곡했고 오지완과 함께 프로듀싱에 참여하며 10일간의 일정을 마쳤다.

강윤과 월드 사람들이 떠나는 날, 추만지 사장과 다이아틴 멤버들은 직접 공항으로 배웅을 나왔다.

"매번 도움만 받네요."

말만 하면 언제든 도와주겠다며 추만지 사장은 팔을 걷어붙였다. 다이아틴 멤버들이 팔에 살밖에 없다고 놀려대자 추만지 사장은 삐져서는 고개를 돌려 버렸다.

다이아틴 리더 지현정은 강윤에게 고개를 숙였다.

"감사합니다. 다음에는 정식으로 계약하러 갈 테니까 잘 부탁드려요."

추만지 사장이 웃기는 소리 하지 말라며 소리쳤고 작게 소란이 일었다.

유쾌한 이별을 뒤로하고 강윤은 한국으로 돌아왔다.

한국에 돌아오자 강윤은 연말 준비에 열을 올렸다. 공호진 연출가와 만나 가요대전 관련 이야기를 나누는데 강윤에게 전화가 걸려왔다. 진혜영의 뒤를 캐던 조희영이었다.

[찾았어요, 증거!!]

베이징 외곽에 있는 호텔에서 진혜영이 남자와 단둘이 나오는 장면을 포착했다는 내용이었다.

메일을 열어 사진을 확인했다. 호텔 뒷문에서 진혜영이 중년의 남성과 팔짱을 끼고 있었다.

"리웬보?"

진혜영이 여주인공으로 출연한 초룡전을 제작한 롱아하오 제작사의 대표였다.

그게 끝이 아니었다. 사진을 열어보니 진혜영과 팔짱을 끼는 남자들이 계속 바뀌고 있었다. 강윤이 명함을 건넨 4명을 포함해서 얼굴을 모르는 사람까지, 총 7명이었다.

조희영은 믿을 만한 사람에게 넘기겠다며 통화를 마쳤다.

강윤은 이현지에게 알렸고 이 사실은 원진표에게까지 전해졌다.

–알겠습니다. 기사 터지면, 바로 준비하겠습니다.

이현지와 통화하는 원진표의 목소리에 힘이 실려 있었다.

몇 시간 후.

–한국 아이돌 진혜영 스폰서 의혹. 방송계 거물들 대거 연루돼…….

중국의 유명 연예 정보지, 유지렌에서 기사를 터뜨렸다.

처음에는 고소로 대응하겠다며 강경한 반응을 보이던 방송사와 제작사 관계자들은 이어 터진 사진들을 보고 패닉 상태에 빠져들었다.

몇 시간도 지나지 않아 진혜영의 스폰서 의혹은 한국에까지 알려졌다. 지예는 비상이 걸렸다. 아예 작정했는지 기사에는 진혜영이라는 이름이 당당히 노출됐다.

지예도 처음에는 유언비어라고 대응했지만 기사에서 제시한 사진에 진혜영의 얼굴이 확실하게 드러나 변명의 여지가 없었다.

강시명 사장도 패닉이었지만 가장 기가 막힌 건 영유희였다.

"당신 아주……!! 미쳤군요. 내가 직접 주선한 자리에 무슨 짓을……!!”

영유희는 눈빛만으로 강시명을 태워 버릴 기세였다.

영유희가 주선한 인맥를 자신의 것으로 끌어당기기 위해 시작한 일이 참사를 불러왔다.

사장실로 비서가 뛰어 들어왔다. 강시명이 눈을 부라렸지만 비서는 아랑곳하지 않고 말했다.

“이, 이사회가 소집된답니다. 소액주주 대표 임대산이 신청했습니다.”

강시명의 얼굴이 새하얗게 질렸다.

이사회가 소집되면 이번 사태의 책임을 지고 자신을 물러나라고 할 게 분명했다. 어찌 됐든 이번 사태의 책임을 면할 방법이 없었다.

강시명을 지긋이 보던 영유희는 어디론가 전화를 걸었다. 몇 마디를 주고받은 후 통화를 마치고 나지막이 말했다.

“……이사회는 내가 막아보죠. 책임은 나중에 물을 거니 각오해요.”

쾅.

영유희는 문을 닫고 나가 버렸다.

“뭘 보고 서 있어!!”

강시명은 애꿎은 비서에게 재떨이를 집어 던졌다.

MG의 본사, 이제는 지예의 본사가 된 건물 앞에 선 원진표는 감회에 젖어 눈을 감았다.

강시명의 음모에 휘말려 쫓겨난 채 방황하다가 강윤의 도움으로 재기한 후 이 자리까지 왔다. 아버지와의 화해, 주아와 함께 한 일들이 머릿속을 스쳐 갔다.

위임장을 넣은 서류 봉투를 소중히 끌어안고 원진표는 로비의 소파에 앉았다.

이사회 시간이 가까워지자 원진표는 자리에서 일어났다. 그런데 소액주주들에게 위임을 받은 당사자 임대산이 나타나지 않았다.

이상한 생각에 원진표는 전화를 걸었다.

—고객님의 전화기가 꺼져 있어…….

불길한 예감이 적중했다.

원진표는 몇 번이나 통화 버튼을 눌렀지만 같은 메시지가 흘러나올 뿐이었다.

머리가 하얗게 질렸다. 힘겹게 외국인 투자자들까지 설득해서 자리를 만들었건만, 소액주주들에게 위임받은 임대산이 없다면 안건을 상정할 사람이 없어진다.

원진표가 머리를 쥐어짜는 동안 이한서는 이현지에게 전화를 걸었다. 자초지종을 이야기하니 깊은 한숨 소리가 들려왔다.

—그쪽엔 사람을 붙여뒀어요. 두 분은 이사회에 집중해 주세요.

불행 중 다행이었다. 이한서는 원진표에게 이현지의 말을 전해주었다. 이야기를 듣고 원진표는 안도의 한숨을 내쉬었다.

엘리베이터를 타고 올라가려는데 뒤로 한 무리의 정장 군단이 섰다. 돌아보니 지예의 가장 큰 기관 투자자 국민기금의 기관장과 수행원들이었다.

엘리베이터가 올라가는 동안 원진표는 기관장과 이야기를 나누었다. 주로 겉도는 이야기였다. 원진표 일행은 회의실에 도착했다. 분위기가 어수선했다.

탁자 끝에 소액주주 대표 2명이 앉아 있었고 반대편에 영유희와 중국 투자자, 그리고 현 사장 강시명이 있었다.

정각이 되자 사회자는 회의용 망치를 들어 세 번 내려쳤다.

"주주 임대산 님의 요청으로 소집된 12월 임시 주주총회를 시작하겠습니다."

임대산을 불렀지만 돌아오는 답은 없었다.

사회자는 강시명의 눈치를 보다가 다시 마이크를 잡았다.

"아무래도 주총을 소집하진 주주님이 출석하지 못하신 것 같습니다. 오늘 주총은 이것으로……."

"잠깐."

원진표가 자리에서 일어났다. 마이크 없이도 그의 목소리는 회의실을 쩌렁쩌렁 울렸다.

"바쁜 분들이 모였는데, 아무것도 하지 않고 끝내 버리는 건 경우가 아닌 것 같습니다."

강시명은 뚱한 눈빛으로 직원을 쳐다보았다. 눈치를 보던 직원은 다시 마이크를 잡았다.

"주주님의 의견을 존중하고 싶지만 정관에 그렇게 쓰여 있습니다. 주총을 의결한 주주가 출석하지 않았을 경우 이사회의 승인을 얻어 직권으로 종료할 수 있습니다."

원진표는 입술을 깨물었다. 이대로 끝나면 죽도 밥도 되지 않는다. 힘겹게 얻은 기회였다. 어떻게든 명분을 생각해 내야 했다. 옆에 앉은 이한서도 머리를 쥐어짜느라 앓는 소리를 냈다.

기관장은 원진표를 보며 고개를 저었다. 멀찍이 앉아 있던 백인 남성은 팔짱을 낀 채 지켜보고 있었다.

그때, 원진표의 머릿속에 떠오른 것이 있었다.

"직권으로 종료할 수는 있지만, 시작하고 최소 2시간이 지나야 한다는 부관이 있죠. 바쁜 스케줄이 있는 분들을 배려하는 차원에서요."

"그건……."

직원은 애처롭게 강시명을 바라보았다. 뒤에서 사장이 매섭게 노려보고 있었지만 또렷한 방법이 없었다.

결국 폐회가 아닌 휴식이 선언됐다.

'제발, 이사님.'

벽에 걸린 시계를 보며 원진표는 간절히 빌었다.

진혜영이 일으킨 스캔들은 9시 뉴스에까지 보도될 정도로 파급이 컸다.

한국 연예인이 중국에서 뜨기 위해 입에 담지도 못할 행동을 했다며 팬들은 얼굴을 붉혔다.

말은 많았지만 더 빅 스테이지의 흥행으로 막 비상하려던 지예에겐 된서리를 넘은 치명타였다.

짝!!

윙클의 숙소 거실에서 리더 오영지가 진혜영의 뺨을 올려붙였다.

"무슨 짓이야!!"

진혜영은 오영지를 죽일 듯이 노려봤지만 이번에는 머리채를 잡히고 말았다. 오영지는 아예 머리채를 잡아끌고 다녔다.

"걸레 닦는다, 미친년아!!"

"아파아!! 놔, 씨바……!!"

멤버들은 지켜보기만 할 뿐 누구도 말리려 들지 않았다.

오영지는 진혜영을 바닥에 넘어뜨리고 올라탄 후, 뺨을 계속 올려붙였다. 뺨이 달아오르고 입술이 터져 나갔지만 그녀의 손은 멈추지 않았다.

"너 때문에, 너 때문에!! 내 꿈, 내 시간!! 다 어쩔 거야!! 어쩔 거냐고!!"

손을 휘두르는 오영지에게서 눈물이 흘러내렸다.

이번 사건으로 윙클은 연예인으로선 치명상을 입었다. 숙소 앞 편의점에서 아르바이트생이 경멸하는 눈초리로 바라보던 눈빛은 잊히지 않았다.

한참 동안 손을 휘두르던 오영지는 팔을 멈추고 거칠게 숨을 골랐다.

"……지는 달랐을 줄 아나."

"뭐야?!"

오영지의 손이 다시 움직였다. 장을 보고 온 매니저가 급히 달려와 두 사람을 떼어놓았다. 진혜영의 얼굴을 본 매니저는 그녀를 데리고 응급실로 향했다.

이 모습을 숙소 앞에 진을 치고 있던 기자들에게 들키고 말았다.

멤버들 간의 불화설까지 나오니 진혜영은 연예계에서 영원히 발을 들일 수 없게 됐다.

임대산은 가까운 곳에 있었다. 주주총회 이틀 전부터 강남의 5성급 호텔 스위트룸에서 머물렀다. 영유희는 하루만 머물다가 지방으로 내려가 있으라고 했지만 그냥 머물러 있었다.

밤새 고민하다가 주주총회 날 아침에서야 마음을 먹고 호텔을 나섰다.

체크인을 마치고 로비를 나서는데 한 남자가 앞을 가로막았다.

"뭐야?"

얼굴을 구기고 노려보자 상대는 정중히 인사하며 명함을 건넸다.

'월드 스튜디오 이강윤'이라고 적혀 있었다. 생각지도 못한 인물과 마주치자 임대산의 눈은 휘둥그레졌다.

두 사람은 로비에 있는 커피숍에 마주 앉았다.

임대산은 팔짱을 끼며 으름장을 놓았다.

"원진표 뒤에 있는 사람이 당신인 걸 압니다. 나한테 무슨 말을 해도 소용없을 겁니다."

임대산의 굳은 태도에도 강윤은 여유로웠다.

"제가 설득을 하러 왔다고 생각하는군요."

"궤변은 사양하죠. 바빠서 이만……."

"계속 가라앉고 있는 배에 탈 생각입니까?"

임대산이 멈칫하자 강윤은 말을 이어갔다.

"솔직해지죠. 이번 지예의 주총에선 반드시 그 사람이 책임을 져야 합니다. 이번이 아니더라도 강시명은 물러날 수밖에 없습니다."

"그렇다고 원진표 그 사람이 다시 사장이 되는 것도 아니죠. 댓글 부대를 운영했는데……."

강윤은 탁자 위에 서류를 올려놓았다. 원진표가 주도한 댓글 부대가 강시명의 지시로 시작되었다는 진실이 적혀 있었다. 읽어가던 임대산은 밑에 적힌 제공자의 이름을 보고는 손을 떨었다.

"김민철? 이 사람까지. 이게 주총에서 밝혀지면 자기도 무사하지 못할 텐데요."

"거래를 했다고만 말씀드리죠. 어떻게 하시겠습니까?"

자리를 보존해 주겠다는 거래를 한 사실을 말해줄 필요는 없었다.

임대산은 망설였다. 그에겐 강시명보다 더욱 큰 문제가 남아 있었다. 자신을 호텔 스위트룸에 숨겨놓은 여자를 생각하니 입이 떨어지지 않았다.

"복타이의 지원은 없을 겁니다."

임대산은 그대로 굳어버렸다.

"영유희 본부장은 투자회사 복타이의 동사장 영즈첸의 딸이죠. 매우 아낀다고 들었습니다. 하지만 공과 사를 명확하게 구분하는 사람입니다. 로비 스캔들이 터진 회사에 더 투자를 하지는 않을 겁니다."

"……."

"바쁜 분들을 더 붙잡고 있는 건 예의가 아닌 것 같습니다."

강시명이 직원에게 눈짓하자 원진표는 초조해졌다. 개회를 알리는 회의용 망치를 두드린 지 2시간이 가까워졌지만 여전히 그의 전화는 감감무소식이었다.

"조금만, 조금만 더……."

원진표의 말에 강시명은 코웃음을 쳤다. 옆에 앉아 있던 영유희가 말했다.

"이미 2시간이나 지났습니다, 원진표 씨. 충분히 배려를 해드렸다고 생각합니다만."

"크윽……."

사람들을 보니 눈가에 날이 단단히 서 있었다. 이미 한계였다.

직원이 회의용 망치를 들었다.

"2시간이 지났으므로 주주총회 정관에 따라 취소되었음을……."

비서는 망치를 내려쳤다.

탕, 탕.

세 번째 치려는데 문이 열리며 남자 두 명이 뛰어들어 왔다.

"죄송합니다. 늦었습니다."

뛰어든 남자는 임대산과 강윤이었다. 그들을 본 강시명은 체면이고 뭐고 책상을 내려치며 소리쳤다.

"야!! 빨리 쳐, 빨리!!"

옆에 있던 이한서가 직원의 팔을 잡았다.

힘 싸움을 하는 동안 임대산은 숨을 고르고 모두 앞에 섰다.

"늦어서 죄송합니다. 오늘 주주총회 소집을 요구한 임대산입니다."

영유희는 이마를 붙잡으며 책상 위에 엎어졌고 강시명은 비명을 질렀다.

"……강시명 대표이사는 진혜영의 스캔들을 막지 못했고, 또한 원진표 전 대표이사에게 댓글 부대를 운영했다는 모함을 씌웠다. 이에 재적 인원 3분의 2 이상의 동의를 얻어 강시명 대표이사의 해임안을 가결한다."

"……거짓말이야!!"

탕탕탕.

조금 전까지 자신을 지켜주던 망치 소리가 목을 죄어왔다. 강시명은 바닥에 그대로 주저앉고 말았다.

회의실을 나서며 대주주들은 혀를 찼다.

"내가 사람을 잘못 봤어."

"스폰서는 너무 나갔지."

"댓글 부대도 저놈 짓이야? 에이."

입구에 선 원진표는 임대산과 함께 대주주들과 악수를 했다. 늦어서 미안하다는 임대산에게 원진표는 포옹으로 답을 대신했다.

강윤의 어깨에 힘이 빠졌다. 이제 지예, 아니, MG도 조금씩 제자리를 찾아갈 것이다. 월드의 좋은 라이벌이 되어줄 것이다.

강윤이 돌아서려는데 물건이 뒤엉키는 소리가 나더니 우악스러운 손이 강윤의 멱살을 잡고 벽으로 밀쳤다. 눈이 시뻘게진 강시명이었다.

"무슨 짓입니까?"

"너, 너, 너!! 너 때문에!! 월드 같은 연예인들만 있었어도!!"

사람들이 두 사람을 떼어놓으려 했지만 강윤이 손을 들어 만류했다.

강시명의 벌게진 눈엔 눈물이 흐르고 있었다. 강윤은 무심한 눈빛으로 그를 바라보았다.

"못났군요."

"이 새끼가!!"

강시명은 강윤의 얼굴에 주먹을 날렸다.

'퍽' 소리가 났지만 강윤은 여전히 무심한 시선으로 그를 바라보았다.

"당신은 그 정도였던 겁니다. 내가 여기 애들을 데리고 있었다면 달라졌겠죠."

"이…… 이……!!"

강시명의 올라간 주먹을 부르르 떨다가 그대로 허물어졌다. 완벽한 패배였다.

강윤은 옷깃을 수습하고 지나치려는데 이번에는 영유희가 가로막았다.

"설마 아버지까지 만났을 줄은 생각도 못 했네요. 그쪽 도움이 필요하던 상황이었는데……."

복타이, 정확히 영즈첸의 힘이라면 중국에서 난 기사를 덮어버릴 수도 있었다. 끈질기게 설득했지만 아버지는 들어주지 않았다.

"운이 좋았습니다."

"그 운을 잡은 게 실력이죠. 졌어요. 날 저런 머저리랑 같은 수준으로 보지 말아요."

영유희는 강시명을 노려보곤 강윤을 향해 손을 내밀었다. 악수를 하고 엘리베이터 앞에 섰다.

엘리베이터가 도착하니 한 무리의 남자들이 내려 회의실로 몰려 들어갔다. 약간의 소란이 일더니 강시명이 수갑을 찬 채 남자들에게 붙들려 나왔다.

수갑을 찬 강시명은 엘리베이터 앞에서 기다리던 강윤의 눈을 피해버렸다. 그의 입가가 파르르 떨리고 있었다.

'씁쓸하군.'

강윤은 강시명과 같은 엘리베이터에 오르지 않았다. 지금 해줄 수 있는 최고의 배려였다.

이후, 강윤은 강시명의 모습을 보지 못했다.

엔터테인먼트계에 지각변동이 일어났다.

가수업계 2위로 인정받는 지예의 강시명이 물러나고 얼마 지나지 않아 원진표가 복귀한 것이다. 복귀에 대한 의문조차 일지 않았다.

"내 자리로 돌아간 거지. 아무튼 이젠 라이벌이네? 각오해."

주아는 탁자 밑에서 꼬인 선을 푸는 강윤을 노려보았다. 등을 보이던 강윤은 피식 웃었다.

"넌 안 돼."

"야!!"

다른 사람이었다면 물고를 냈겠지만 상대는 강윤이었다. 탁자 밑에서 나온 강윤은 의자에 앉아 주아를 바라보았다.

"윙클 애들은 괜찮아?"

"아니, 그 진 뭐라는 애 빼곤 다 불쌍하지. 그 애는 소송 걸어서 거지 만든다니까 위안 삼아야지. 애들은 당분간 내가 챙기려고."

모처럼 선배 노릇 한다며 강윤은 주아의 머리를 쓰다듬었다. 주아가 질색하며 손을 내저었다.

두 사람이 투덕대고 있을 때, 스튜디오 문이 열렸다. 민진서였다. 그녀는 다짜고짜 강윤에게 달려가 끌어안았다.

"……난 안 보이니?"

"어? 언니도 있었네요."

"저거 일부러 그랬어. 분명해."

민진서는 모를 미소로 답할 뿐이었다.

사람들이 하나둘씩 스튜디오에 들어섰다. 김지민부터 에디오스, 김재훈에 다시 일본으로 건너간 인문희까지 월드의 모든 가수가 한자리에 모였다.

마지막으로 이현지와 엔티엔 멤버들까지 들어서자 강윤은 엔티엔 멤버들을 앞에 불러 세웠다.

"엔엔디엔, 유앤미앤!! 안녕하십니까!! 엔티엔입니다!!"

소녀들의 활기찬 목소리에 남자들의 입가가 양 끝으로 찢어졌다. 몇몇 남자의 옆구리엔 불이 났다. 민진서의 고개도 강윤에게 휙 돌아갔지만 변화가 없었다.

"에너지가 넘치네. 데뷔 때라 걱정이 많을 거야. 선배들이 잘 챙겨주고……."

"저희 괜찮은데요."

정유리가 아무렇지 않은 듯 눈을 껌뻑이며 강윤을 당혹스럽게 했다. 감효민도 끼어들었다.

"월드 가수 되면 무조건 스타 되는 거 아니었어요?"

2연타가 터지자 강윤의 얼굴이 어색해졌다. 가수들은 킥킥대기에 바빴다.

이현지도 끼어들었다.

"하긴, 누가 하는 건데 당연히 잘되지."

"이사님까지……."

강윤의 눈이 휘둥그레지자 이현지는 오히려 의아한 시선으로 바라보았다.

"지나친 겸손은 오히려 별로예요, 음악의 신."

"그러게. 셰무얼한테 공인까지 받았잖아, 음악의 신."

"그만들 해."

강윤이 온몸으로 부정했지만 가수들의 놀림은 멈추지 않았다.

"음신!! 음신!! 음신!!"

손발이 오그라들었다. 그래도 진심에서 우러나오는 소리를 멈출 수도 없었다.

「……(중략)…….

이강윤.

그는 실패를 모르는 프로듀서고 작곡가이며 공연 기획가다.

성공한 프로젝트만 따져도 손가락, 발가락을 다 동원해도 모자란다. 그가 손을 댄 모든 프로젝트니까. 은하의 8개 앨범, 에디오스 앨범과 싱글들, 김재훈, 유리에 앨범에 콘서트, 편곡에 작곡한 곡들까지. 해외 유명 가수들의……(중략)…….

그는 언제나 마음을 편안하게 해준다.

성공만 해서 한 번의 실수로 무너질 거라는 사람들의 말을 비웃기라도 하듯 그는 지금까지도 성공 가도를 달리고 있다.

그와 함께 한 시간은 내 인생에서 가장 화려하게 빛나는 순간이었다.

나의 20년 가수 생활을 걸고 확실히 말할 수 있다.

이강윤, 그는 음악의 신이다.

―연주아 자서전, '꿈소녀'에서 발췌」

Outro
7년 후

"아빠아!! 일어나아!!"

조금만 더 자면 안 될까? 어제 1시에 들어왔는데.

속으로 빌어봤지만 작은 소망은 이루어지지 않았다. 복부에 묵직한 체온이 느껴진다. 힘겹게 눈을 뜨니 천진한 미소로 작은 악마가 웃고 있다.

"……윤아, 너."

우악스럽게 작은 꼬맹이를 끌어안았다. 항상 그렇듯 아이는 내게 깊이 파고들었다.

이윤아.

진서의 얼굴과 내 눈빛을 닮은 우리의 아이였다.

"어어? 나 빼고 이러기예요?"

앞치마를 두른 진서까지 달려들었다. 오늘 아침도 이렇게 시작되었다.

치이익-- 타닥탁탁-

부엌에서 밥 짓는 소리, 일정한 리듬으로 칼질하는 소리가 들려온다.

"아기 염소 여럿이--"

맞추기라도 하듯 진서가 동요를 부르자 주위로 음표가 휘감겼다.

아침마다 날 기분 좋게 하는 광경이다.

"화투 치고 놀아요-- 해처럼-- 밝은--"

윤아야, 검은빛 나온다. 제발…… 저 악동, 또.

식사 시간이다.

진서가 윤아에게 수저를 쥐여주며 내게 눈을 돌렸다.

"10시에는 나가야 해요."

아, 그렇지.

내 표정을 보더니 진서는 그럴 줄 알았다며 윤아의 수저에 반찬을 올렸다.

"하여간, 어제 엔티엔 녹음한다고 늦게 들어오시더니 그게 잊었어요?"

어색한 웃음을 흘리니 윤아가 밥을 머금고 웅얼댔다.

"어아 어제 배게 주어어어? 아아, 또으으……(엄마 어제 화났다? 배게에 주먹질했어)."

밥은 꼭꼭 씹어 먹고 말하렴. 진서야, 얼굴 붉히지 마라.

윤아에게 간장 비빔밥을 모두 먹이고 진서는 그제야 샐러드를 욱여넣었다.

최근에 또 드라마가 들어왔다고 했었지. 손 많이 가는 7살

딸 엄마에 배우까지. 참 대단하다.

"현지 언니는 평생 혼자 살 줄 알았는데. 연애는 언제 했대요? 나이 차이도 많이 나던데요."

"준열이도 장가갔는데, 이사님이라고 못 갈까."

진서는 웃었다.

그 괄괄하던 준열이 부인이 한주연이 될지 누가 알았겠어.

세기의 가수 커플이라며 기사가 쏟아졌었다.

우리? 살풀이를 워낙 잘해놨어야.

아무튼 오늘은 이현지, 그러니까 월드 스테이션 마녀 이사님 시집가는 날이다.

상대는 경력 사원으로 들어온 강준섭 대리다.

일도 잘하고, 싹싹하고 말끔하게 생겼고, 동갑이다.

한 바퀴를 돌아도 동갑은 동갑이지.

내가 설거지를 할 동안 진서는 윤아를 씻기고 치장을 서둘렀다.

민폐 하객이 되면 언니한테 혼난다며 화장도 옅게 하고, 수수한 옷 찾는다며 옷방을 엉망으로 만들어 놨다.

아, 가는 게 민폐라고 말하고 싶다.

결혼식이 열리는 서울의 U호텔에 도착하니 희윤이가 먼저 도착해 있었다.

"아우~ 우리 윤아!! 잘 있었어?"

희윤이는 윤아를 번쩍 안았다. 윤아도 희윤이를 무척 좋아했다. 희윤이 옆에 있는 놈팽이도.

"웅웅. 재훈 삼촌."

목소리 봐라, 아주.

김재훈, 매제는 윤아의 볼을 꼬집었다.

저것들은 언제 붙어먹었는지 어느 날 결혼하겠다고 폭탄 선언을 했다. 재훈이야 괜찮은 놈이니까 허락은 했지만…… 희윤이가 아깝지. 암암.

익숙한 얼굴들이 하나둘씩 보인다. 김지민과 인문희, 엔티엔 멤버들이 손을 흔들었다.

저기 김지민과 인문희는 세 번을, 엔티엔은 두 번의 재계약을 이어가고 있었다. 모두가 중국과 아시아를 넘어 유럽으로 발을 넓혀가고 있었다.

"다른 애들은?"

인문희가 답했다.

"한유랑 삼순이는 늦는다고 했고요. 릴리랑 리스는 거의 도착했대요."

입구 쪽을 보니 신랑이 하객을 맞고 있었다. 내가 가니 90도로 고개를 숙이며 진땀을 흘렸다.

일행과 함께 신부 대기실로 들어갔다. 평소의 괄괄한 여자는 없고 순백의 신부가 앉아 있었다.

"뭘 그렇게 봐요?"

마녀 이사가 맞았다. 겉이 아무리 바뀌어도 속은 변하지 않았다.

가수들이 결혼 축하한다며 호들갑을 떨자 이현지 이사도 잘 보여주지 않던 환한 미소로 화답했다. 그녀도 여자이긴 한가 보다.

사진을 찍고 입구에 나가니 업계 사람들이 다가왔다. GNB의 한영숙 사장과 윤슬의 추만지 사장이었다.

"하하하. 이거 음악의 신께서 인간계에 왕림하셨군요."

추만지 사장의 농담에 인상을 찌푸렸다. 한영숙 사장도 동조했다.

"추 사장님도 참. 우리 신께서는 부끄러움을 많이 타세요."

알면 하지 마요, 좀.

다들 표정은 좋았다. GNB는 일본에서 나엘. 허니민트, UNI까지 연달아 히트시키며 3대 기획사를 4대 기획사로 확장시켰다. 추만지 사장은 중국에서 새로운 신인 가수 RYU를 성공적으로 데뷔시켰다.

이야기를 이어가는데 익숙한 얼굴이 또 등장했다.

"이거 저만 빼놓고. 섭섭합니다."

원진표 사장이었다. 그의 얼굴도 좋아 보였다. 진혜영의 스캔들 이후, 휘청이던 지예를 바로잡고 다시 메이저 기획사로 발돋움하게 만들었다. 주아까지 불러들인 공도 있어 확고하게 자리를 잡을 수 있었다.

"하아, 우리가 힘을 합쳐도 월드 타도는 아직 멀었네요."

한영숙 사장이 한숨지었다. 원진표 사장과 추만지 사장도 어깨를 으쓱였다.

3년 전부터 월드의 규모가 세 기획사를 합친 것보다 거대해졌다. 그때부터 세 기획사의 사장들은 가까워졌다고 들었다.

타도 월드를 외친다는데 자세히는 모르겠다.

사장단과 헤어진 후 수많은 관계자와 인사를 나누었다. 수없이 많은 악수를 한 통에 손이 부어갔다.

결혼하는 건 이현지 이사인데, 왜 내 손이 부어가는 건지. 신랑은 저기 있는데, 왜 다들 나한테 오는 건지. 말해봐야 소용은 없겠지만.

결혼식이 시작되자 쉴 틈이 주어졌다.

진서와 여가수들은 앞쪽에 앉아 있었다. 자리를 찾아봤는데…… 없네.

뒤에 서 있는데, 누군가가 옆구리를 찔러왔다. 늦게 온다던 에디오스 멤버들이었다.

"다들 왔구나."

주연이, 한유, 삼순이, 에일리, 크리스티 안까지 소식 없는 그 애만 빼고 모두 도착했다. 이준열은 일본에서 투어 중이라 오지 못했다.

"뭐야? 정민아 안 옴?"

"오겠어? 지 혼자 잘해보겠다고 나간 애가?"

에일리 정과 크리스티 안은 기가 찬 목소리로 투덜댔다. 누구보다 팀워크가 좋은 그룹이 에디오스였다. 분위기도 좋았다. 그런데 갑작스럽게 리더인 정민아가 나가겠다고 하니 다른 멤버들에겐 충격을 넘어 배신감까지 느꼈을 것이다.

"두고 보세요. 내 힘으로 빌보드 끝까지 가 볼 거니까."

계약 마지막 날, 정민아는 나와의 독대에서 한마디를 남기고 LA행 비행기에 올랐다.

이후 메일도, 흔한 전화 한 통도 없었다.

최근에 셰무얼 밑에서 댄서로 활동하고 있다는데…… 잘 지내고 있는지.

"저기 신부 들어와요."

서한유가 가리킨 곳을 보니 이현지 이사가 최찬양 교수의 손을 잡고 걸어오고 있었다. 윤혜린의 피아노 연주가 홀을 울렸다.

짧은 주례까지 마치고 축가가 이어졌다. 월드 스튜디오 이사의 결혼식답게 축가도 많았다.

5곡이었으니…….

마지막의 합창은 내가 직접 편곡했다. 월드의 모든 가수가 나와 합창을 할 때, 은빛이 사방으로 뻗어져 갔다. 저 무뚝뚝한 이현지 이사가 눈물바다에 빠졌으니 성공이다.

결혼식이 끝나고 부케는 박소영이 받았다.

"아…… 하하하."

애인도 없다며 그녀는 울상이었다. 주변에서 제발 소개팅 좀 하라고 밀어대던데, 이 기회에 좋은 사람 만났으면 좋겠다. 이젠 희윤이보다 곡도 많이 만들던데, 잠깐 쉬더라도 어울리는 사람을 만났으면 좋겠다.

"찍습니다!!"

신랑, 신부를 중심으로 월드 스테이션의 모든 사람이 서서 사진을 찍었다.

이현지 이사의 결혼식은 성대하게 마무리되었다.

강윤은 딸 윤아의 손을 잡고 공원길을 천천히 걸었다. 옆에서 윤아의 손을 잡은 진서도 보폭을 맞추며 천천히 걸어갔다.

사람들의 시선이 그들을 향했지만 이젠 익숙했다.

윤아가 여기저기를 둘러보다가 공원 구석의 벤치에 앉아 있는 여자를 가리켰다.

"어? 아빠, 저기 노래."

강윤과 민진서의 시선이 그쪽으로 향했다.

여자는 벤치에 앉아 반주에 맞춰 노래를 부르고 있었다. 여자 주위로 음표가 돌며 새하얀 빛이 뿜어져 나왔다.

하얀빛이 일렁이는 모습을 보니 강윤의 눈이 빛났다. 민진서는 윤아를 번쩍 안아 들었다.

"다녀와요."

강윤은 고개를 끄덕이곤 여자에게 다가갔다.

땅에 비친 그림자를 보고 여자는 시선을 올리며 누구냐고 묻자 강윤은 명함을 건넸다.

'월드 스테이션 이강윤'이라는 글자를 보고 여자의 눈이 휘둥그레지자 강윤은 미소를 지었다.

"함께 갑시다. 더 큰 무대에 서게 해드리겠습니다."

The end